마침표 아닌, 쉼표

한 외교관의 우아한 투병기

박시정

뉴질랜드 외교관, 변호사, 정치학 박사. 1977년 서울생. 여의도 중학교 2학년 재학 중이던 1991년 뉴질랜드로 이민. 2000년 오클랜드 대학에서 법학과 정치학 우등 복수 학사 학위 (BA/LLB (Hons)(Conjoint) degree) 취득 후 2006년 동대학에서 정치학 박사 학위 취득. 2000년 뉴질랜드 변호사로 임용. 오클랜드 로펌 Russell McVeagh와 Wilson Harle에서 법정 변호사로 근무 (2000-2003). 2003년 뉴질랜드 외교통상부에 한국계 최초로 입사, 부의전장, 동아시아 부국장, 통상 특별고문직등을 역임하고 현재는 아시아 태평양 경제협력체 (APEC) 부국장을 맡고 있다. 서울에서 정치담당 서기관 (2005-2008), 마드리드에서 부대사 (2008-2010), 자카르타에서 부대사 (2018-2022)로 활동. 2010년 스페인 대사이던 남편과 결혼, 슬하에 아들 하나를 두고 있다.

마침표 아닌,

한 외교관의 우아한 투병기

서정 지음

CONTENTS

01

발리에서

,

그날은 언니의 생일이었다. 나는 발리 우붓에 있는 풀빌라의 1층 침실에서 일어났다. 지긋지긋했던 코비드로 인한 여행 제재가 풀린 지 얼마 되지 않은 시점이라, 언니 생일을 계기로 싱가포르에 살던 언니와 형부, 자카르타에 살던 내가 발리로 생일 기념 여행을 온 터였다.

세심하고 까다로운 언니가 심사숙고해 고른 풀빌라는 널찍한 복층이었고, 무엇보다 마음에 들었던 건 수영장 물이 따뜻하다는 거였다. 발리에 풀빌라는 많이 있지만 아무래도 열대지방인지라 야외에 온수 수영장이 있는 경우는 드물었다. 추위를 많이 타는 언니와 나는 아무리 더운 곳이라도 해가 꺼져 서늘해지면 수영장에 잘 못 들어갔고, 설사 들어가더라도 오래 놀지 못했다. 특히, 산속에 있는 우붓은 바닷가에 있는 발리의 다른 동네보다 체감온도가 더 떨어졌다. 그러던 우리에게 저녁이면 모락모락 따뜻한 김이 올라오는 온수 수영장은 정말이지 금상첨화였다. 온수 수영장은 온천처럼 뜨겁지는 않았지만 밤에 몇 시간 동안 물속에 있어도 한기가 올라오지 않을 정도로 따뜻한 물이었다. 우리는 가져온 아이패드와 스피커를 연결하여

90년대 댄스 음악들을 밤새 틀어놓고 수영장 안에서 노래하고 춤추고 먹고 마시며 3일 밤을 놀았다.

같은 시기에 발리로 놀러 온 자카르타 친구들이 발리의 유명한 클럽에서 만나자고 했지만, 저녁을 거하게 먹은 후 화장을 고치고, 머리를 매만지고, 옷을 차려 입고 클럽에서 알지도 못하는 최신 노래를 들으며 하이힐 신은 아픈 발로 춤추기에는 너무 늙었다며 우리는 웃었다. 신기하게도 학창시절 때 들었던 노래들의 안무는 몸이 기억해서 2-30년이 지난 지금에도 엇비슷하게 출 수 있었다. 다음 번에 올 때는 프로젝터를 가져와서 빌라 벽 전체에 뮤직비디오를 띄워 놀아야겠다고, 아이스박스를 가져와서 술이 떨어졌을 때 따뜻한 물에서 나와 덜덜 떨며 냉장고까지 뛰어가지 말아야겠다고, 가격이 몇 배 더 비싼 최고급 호텔 풀빌라보다 따뜻한 수영장이 있는 이곳이 최고라고 자화자찬하며 다음 여행을 상상해 보았다.

아들을 낳은 후 지난 11년간을 돌이켜 보면, 가족여행을 가면 항상 아이 위주로 생활했기 때문에 어른들끼리 여행을 온 것은 정말 오랜만의 일이었다. 뉴질랜드 외교통상부에서는 코비드가 시작되던 2020년 3월에 남편 롭과 아들 제이미를 뉴질랜드로 돌려보냈기 때문에 나 혼자 자카르타에서 일하고 있던 중이었다. 자카르타에서 내 임기가 끝나는 2022년 12월까지 어른들끼리 자주 여행 다니자고 언니와 약속했다. 코비드의 여파로 호텔들은 공실이 많았고, 그런 만큼 저렴한 가격으로 좋은 호텔들을 예약할 수 있으니 여행 다니기엔 정말 좋은 시기라고 떠들어댔다. 매일 먹고 마시는 게 일이었던 우리는 점심 저녁을 먹으러 갈 때를 제외하곤 빌라에서 놀았다. 느지막이 일어나 빌라 투숙객들 중 가장 늦게 아침을 먹었는데 흔한 뷔페식 아침이 아니라 메뉴에서 골라 그 자리에서 해주는 아침이라 특별히 더 마음에 들었다. 아침이 소화되기도 전에 점심을 예약한 식당으로 떠날 때면 다음 번엔 점심은 예약하지 말자고 투덜투덜 복에 겨운 투정을 했다. 우붓에는 분위기 좋고 맛은 더 좋은 훌륭한 레스토랑들이 많이 있었으므로 우리는 매일 배가 터지게 먹고 마셨다. 오후엔 내가 발리에 갈 때마다 불렀던 개인 마사지사를 빌라로 불러 한 명씩 돌아가며 마사지를 받았다. 마사지 가격은 싱가포르에 비해 절반도 안 되는 가격이라 언니랑 형부는 매일 2시간씩 마사지를 받으며 많이 받아야 돈 버는 거라고 좋아했다. 노느라고 지친 우리들은 다음 번엔 일정을 좀 느슨하게 짜자고 하면서 이번에도 아무 일정 없었는데 무슨 소리냐며 웃었다. 더할 나위 없이 만족스러운 여행이었다.

당시 나는 자카르타 주재 뉴질랜드 대사관에서 부대사로 일하고 있었다. 뉴질랜드 외교통상부에 입사한 지도 어언 20년, 자카르타는 서울, 마드리드에 이어 3번째 부임지였다. 임기를 시작하자마나 터진 코비드로 대사님이 예정보다 일찍 뉴질랜드로 돌아가시는 바람에 대사 대리로 지낸 시간이 대부분이었다. 일은 익숙해서 힘들지 않았지만, 코비드 초기에는 백신도 없고 바이러스가 어떻게 전염되는지 아는 것도 많이 없었던지라 대사관은 초긴장 상태였다. 자카르타 의료시설은 썩 좋지 않았던 터라 좀 심각한 병에 걸리면 싱가포르에 있는 병원으로 보내주는 게 정책이었는데, 코비드 때문에 싱가포르에 갈 길이 막히고 말았기 때문에 더더욱 그랬다.

상황이 이렇게 되자 본부에서는 대사관 직원들 중 꼭 필요한 인원들만 남기고 나머지 직원들은 대사관 직원 가족들 전부와 함께 뉴질랜드로 돌려보냈다. 부대사였던 나는 자카르타에 남을 수밖에 없었다. 다들 그랬겠지만 나도 처음에는 자가 근무가 너무 힘들었다. 막 근무를 시작해서 대사관 동료들도 잘 몰랐고, 자카르타에는 아는 사람들도 많이 없었고, 모든 회의는 화상으로 해서 사람이 그리웠다. 외향적인 성격으로 사람들에 둘러싸여 있을 때 텐션이 좋은 나는 특히 더 힘들어했다. 코비드 초기 격리 시절에 유행하던 밈(meme) 중 하나인, "Introverts, get in touch with your extrovert friends. They don't know how to do this."가 나한테 딱 들어맞는 상황이었다. 하루 종일 집에서 혼자 일하니 외로웠고 가족들이 보고 싶었다. 그때 우리 아들은 만 9살, 키우기에는 많이 수월해졌지만 아직 엄마랑 놀기를 좋아하는 한참 예쁠 때였다. 아이가 너무 보고 싶었지만, 그래도 안전한 뉴질랜드에 가 있어 다행이라고 스스로를 위로하며 지냈다.

시간이 지나면서 다른 사람들과 마찬가지로 나도 서서히 코로나 시대에 적응을 해 나갔다. 가족과 함께 살다가 혼자 살게 되자 퇴근 후와 주말에 시간이 너무 많이 남았다. 아이와 떨어져 있는 이 시간을 최대한 유용하게 활용해야 한다는 거의 집착에 가까운 마음으로 하루하루를 바쁘게 보냈다. 근무를 시작하기 전 9개월 동안 자카르타에서 바하사 인도네시아어를 배웠는데, 아무래도 근무를 시작해서 주로 영어로 생활하다 보니 배웠던 걸 많이 잊어버려 바하사 레슨을 다시 화상으로 받기 시작했다. 아울러 성악을 공부하던 옆집 사람 소개로 성악 레슨도 화상으로 받기 시작했다. 내친 김에 중고 피아노를 사서 고등학교 졸업 후 손도 대지 않았던 피아노도 다시 치기 시작했다. 취미로 10년 정도 한 요가도 본격적으로 공부하기 시작해서 요가 강사 자격증도 따게 되었다. 내가 살던 자카르타의 아파트 단지에는 수영장, 테니스코트, 농구코트, 산책로, 헬스장, 편의점, 식당 등이 있었는데 시설들이 웬만한 5성급 호텔보다 좋았다. 어렸을 적부터 운동을 좋아하던 나의 소원은 수영장과 농구장이 있는 집에서 살아 보는 것이었는데, 이 곳에는 내가 원하던 모든 시설이 있었다. 덕분에 나는 매일 2-3시간씩 수영, 농구, 산책, 근력 운동을 했다. 그리고 일주일에 한 번은 테니스 레슨도 받고 도보로 10분 거리에 있는 골프연습장도 자주 갔다. 덕분에 볼록하던 똥배도 말끔히 사라졌고, 출산 전 입었던 바지들이 다시 맞기 시작했다.

일본 회사가 관리하는 자카르타의 아파트는 매일 몇 십 명의 사람들이 꼼꼼히 청소를 해서 바닥에 떨어진 음식을 주워 먹어도 될 정도로 깨끗했다. 아파트 로비뿐 아니라 야외 바닥도 비누가 나오는 청소기로 반짝반짝 닦았고, 틈새에 낀 먼지는 칫솔로 박박 닦았다. 덕분에 아파트 안에서는 벌레 한 마리 나오지 않았고, 단지 내 그 어떤 시설에서도 거미줄 한 번 볼 수 없었다. 정원 또한 매우 철저하게 관리되고 있었다. 무엇보다 가장 마음에 들었던 건 아파트의 위치였는데, 아파트랑 쇼핑몰, 오피스, 5성급 호텔이 연결되어 있었다. 게다가 아파트와 연결된 오피스빌딩에 우리 대사관이 있어서 악명 높은 자카르타의 교통 체증을 겪지 않고 1-2분 만에 도보로 출퇴근할 수 있었다. 아파트와 연결된 최고급 쇼핑몰, 호텔에는 맛집들이 잔뜩 있었다. 인건비가 싼 자카르타에 사는 덕분에 운전사, 가정부를 부담없이 둘 수 있어서 집안 일은 단 한 번도 하지 않았고, 혼자 사는 여자 집에서 할 일이 많지 않았던 가정부는 속옷까지 다려주었다.

나는 뉴질랜드에서 자란 덕분에 15살부터 운전을 했지만, 운전을 그다 잘 하지도 즐기지도 않았어서 운전사가 있는 것이 무엇보다 맘에 들었다. 코비드 덕에 교통체증도 덜 했고 차 안에서는 이메일 확인도 하고, 뉴스도 보고, 책도 읽고, 음악도 들으며 무료하지 않은 시간을 보낼 수 있었다. 여기에다가 자카르타에는 한국 식당도 많고, 김치나 기타 밑반찬은 온라인으로도 주문이 가능해 요리를 못 하는 나도 끼니 걱정 않고 잘 살 수 있었다. 온라인 배달 서비스가 잘 발달되어 있고, 가격도 저렴해서 모든 면에서 생활이 너무 편했다.

코비드로 인한 새 생활에 적응이 되면서 친구들도 서서히 사귀기 시작했다. 사람들은 소규모의 점심, 저녁 파티를 집에서 하기 시작했고 야외 테이블이 있는 식당에서 만남을 갖기 시작했다. 아무래도 부대사 또는 대사 대리로 일하다 보니 만나는 사람들도 대부분 인도네시아에서 중요한 직책을 맡고 있는 사람들이었는데, 보통 때였으면 해외로 지방으로 출장을 가고 또 각자의 일들이 바빠서 한번 얼굴 보기도 힘들 바쁜 사람들이 코비드 덕분에(?) 전부 자카르타에 있어서 자주 만날 수 있었다. 그때는 한창 k-pop, k-drama, k-food, k-beauty등 k-가

들어가는 모든 것들이 인도네시아에서 유행하고 있었던 터라 한국계였던 나는 그 덕을 톡톡히 봤다. 인도네시아 친구들을 만나도 한국 음식을 자주 먹었고 무슨 한국 드라마를 추천해 줄 수 있냐는 질문을 매번 받았다. 하도 한국 얘기를 많이 해서 내가 한국이 아니라 뉴질랜드를 대표하는 외교관인 건 알고나 있는지 가끔 확인해야 했다. 그래도 뿌듯했다. 30년 넘게 외국생활을 하면서 한국의 높아진 위상을 이렇게 온 몸으로 느낀 건 처음이었다. 여행 규제가 서서히 풀리자 마치 지난 2년간을 보상이라도 하듯 인도네시아 안팎으로 열심히 돌아다녔다. 팜유 농장을 보러 칼리만탄도 가고, G20 미팅을 하러 솔로에 갔다 돌아오는 길에 족자카르타에서 주말을 보냈다. 또 제이미 방학에 맞춰서 뉴질랜드랑 피지도 다녀왔고, 자카르타로 돌아오는 길에는 싱가포르를 경유해 그동안 못 봤던 언니와 형부와 친구들과 즐거운 시간을 보냈다. 6주 뒤 제이미 방학 때는 서울에서 만나기로 해서 호텔 예약도 다 해 놓은 상태였다.

이렇게 자카르타에서 혼자 살면서 '제이미 엄마'가 아닌 오롯한 '나'를 서서히 찾아갈 수 있었다. 가족이 코비드 때문에 뉴질랜드로 돌아가고 얼마 후, 아파트 옆 쇼핑몰에 있는 우리 가족이 자주 가던 중식당에 동료와 처음 갔을 때 동료가 "무슨 음식 좋아해?" 물었는데 나는 할 말이 없었다. 남편이 뭘 좋아하는지, 아들이 뭘 좋아하는지는 메뉴판을 보지 않고도 말할 수 있었지만, 정작 내가 뭘 좋아하는지는 알 수가 없었다. 음식 남기는 게 아까워서 항상 내가 먹고 싶은 것보다 남편, 아들이 먹고 싶은 것을 주문하고 나는 남은 음식을 먹었기 때문이었다.

그래서 이렇게 뜻밖에 선물처럼 찾아 온 '나 스스로 다시 내 삶의 주인공이 된 삶'을 즐기려 애썼다. 아이가 자랄수록 참견을 줄이고 아이를 믿고 놓아 주어야 한다는 글을 많이 읽었는데 사실 그게 어디 말처럼 쉬운 일인가. 그런데 떨어져 살게 되니 어쩔 수 없이 아이를 믿고 모든 걸 내려놓아야 했다. 다행히 남편은 아이한테 헌신적이었고 아이는 뉴질랜드에서 건강하게 잘 자라고 있었다. 매일 하루 2번씩 영상통화를 했고 매일 밤 자기 전에 아이에게 이메일을 보내 아이와의 사이가 너무 멀어지지 않게 신경 썼다. 아빠가 돌아가신 지 얼마 되지 않아 뉴질랜드에 혼자 계신 엄마가 걱정되었지만, 다행히도 엄마는 이사 가신 실버타운(retirement village)에서 친구들도 많이 사귀시고 건강히 잘 지내시고 계셨다. 언니와 엄마랑은 매일 몇 번이고 문자를 주고 받았으며 거의 매일 영상통화를 했다. 가족들은 모두 무탈했다. 더할 나위 없이 만족스러운 삶이었다.

따스한 아침햇살이 풀빌라 침실 커튼 사이로 새어 들어왔다. 일찍 일어날 이유가 없는 휴가지에서 맞는 월요일이었기에 나는 기지개를 편 후 왼쪽으로 돌아누우며 오른손을 왼쪽 겨드랑이 밑에 괴었다. 그때 손 끝에서 멍울이 만져졌다.

발리의 풀빌라 / 2022년

02

세상의 끝

,

몸에 이상이 있을 때는 언제나 그랬듯, 제일 먼저 Dr. Google에게 물어보았다. 가슴에서 만져지는 멍울 대부분은 양성이고, 특히 만졌을 때 부드럽고 잘 움직이면 양성일 가능성이 높다고 했다. 만약 악성이면 멍울이 딱딱하고 잘 움직이지 않는다고 했다. 다행히 내 멍울은 부드럽고 이쪽저쪽 잘 움직였다. 그럼 그렇지. 지금껏 살면서 큰 병치레 한 번 없이 건강하던 나였다. 초등학교 6년을 개근 할 정도로 잔병치레도 거의 없었다. 그리고 무엇보다 '집밥'을 중시하셨던 부모님 덕에 식습관도 좋았고, 운동도 좋아해서 어려서부터 운동을 꾸준히 해왔다. 물론 일하다 보면 스트레스 받는 일은 자주 있었지만 그 정도 스트레스 없이 살아가는 사람이 있을까? 부모님도 건강하셨고 두 쪽 다 장수 집안이었다. 요 몇 달 좀 피곤하긴 했지만 그건 3개월 전에 걸린 코비드의 여파일 거라고 생각했다. 우리 집에서 일하던 가정부가 2021년에 코비드로 목숨을 잃어서 지레 겁먹고 집에서 푹 쉬며 음식도 잘 챙겨 먹었지만 증상이 사라지고 나서도 몸이 예전 같진 않았다. 잃었던 후각과 미각은 다행히 돌아왔지만 몸이 전보다는 쉽게 피곤해졌다. 주변 사람들 대부분 코비드에 한 번 이상은 걸렸었는데, 다들 코비드 여파가 오래간다고 했기에 피곤이 지속되는 거엔 큰 신경을 안 썼다. 지난 며칠간 발리에서 논 체력을 생각하면 이젠 피곤한 것도 다 나아진 것 같았다.

그래도 멍울은 신경이 쓰였다. 마침 그날 오후 자카르타로 돌아갈 예정이었기에 그 다음 날 호주대사관 의사와 약속을 잡았다. 언니가 생일 날 괜히 걱정할까봐 발리에서는 얘기를 안 하고 자카르타 돌아와서 멍울 얘기를 했다. 언니는 만져보더니 그렇게 큰 멍울이 암이면 너는 벌써 죽었을 거라며 웃었다. 아닌 게 아니라 멍울이 제법 컸다. 지름이 한 3-4cm 정도 되는 것 같았다. 내 가슴이 작은 편이라 멍울이 더 크게 느껴지는 것일 수도 있었다. 매일매일 수영을 하고 또 마사지도 자주 받는 터라 멍울이 이렇게 커지기 전에 알아차렸을 텐데 이상하다 생각했다. 그러나 Dr. Google이 말하는 다른 증상들, 예컨대, 함몰된 유두나 유두에서의 출혈, 울퉁불퉁해진 피부 등이 전혀 없었기 때문에 큰 걱정 없이 의사를 만났다. 의사 역시 멍울이 부드럽고 잘 움직인다며 걱정하지 않아도 될 것 같다고 했다. 하지만 혹시 모르니 근처에 있는 종합병원에 가서 유방촬영술하고 초음파를 찍어보라고 했다. 내친 김에 병원에 가서 검사를 했다. 유방촬영술은 전에도 한두 번 해보았는데 매번 할 때마다 느끼는 거지만 '정말 21세기에 이 방법밖에 없나?' 하는 생각이 들 정도로 야만적이었다. 그 후 초음파를 하는데 담당

여의사가 오른쪽 가슴부터 보기 시작했다. 좀 이상하다 싶었지만 여기서는 이렇게 거꾸로 검사하나보다 생각했다. 다행히 오른쪽 가슴은 별 문제 없다고 했다. 그리고 나서 왼쪽 가슴을 보기 시작한 의사가 멍울 사진을 몇 장 찍었다. 누워서 스크린을 보니 멍울은 마치 나비 같은 모양이었다.

검사를 마친 의사가 능숙하지 못한 영어로 말했다. "악성인 것 같군요." 순간, 나는 내 귀를 의심했다. 이어 '영어를 잘 못 하는 의사인 모양이군' 하고 생각했다. 그래서 인도네시아어로 다시 물었다. "양성 아시죠, 양성? 그 반대말 악성입니다." 의사가 유창한 인도네시아어로 말했다. "그게 무슨 말씀인가요? 설마 이게 암이라는 말인가요?" "네, 그렇습니다." 의사의 말을 듣는 순간, 나는 얼굴이 일그러졌다. "그게 무슨 소리에요, 암이라뇨?" 나는 덜덜 떨며, 그러나 의심이 가득 찬 눈초리로 말했다. "확실한가요, 확실해요?" 나는 따지듯 되물었다. "이것이 암일 확률은 51-90%입니다." 마치 교과서를 읽듯 의사가 말했다. 그 자리에서 나는 손에 얼굴을 묻고 울음을 터뜨렸다. 의사와 난처한 표정으로 옆에 서 있던 간호사가 등을 쓸어주며 말했다. "생체검사(biopsy)를 하셔야 확실하게 알 수 있습니다." 간호사의 말에 나는 '그래 오진일 거야' 하고 생각했다. 실낱같은 희망이 생겼다. 30년 넘게 외교관으로 활동했던 남편도 개발도상국에 발령 나가 있을 때 현지 병원에서 몇 번

오진 경험이 있었다. 한번은 기침을 하다 피를 토해 병원에서 x-ray를 찍었더니 시커멓게 변한 폐 사진을 보여주며 폐암 말기이니 주변 정리를 하라고 했다고 한다. 뉴질랜드로 급하게 돌아와 다시 x-ray를 찍으니 폐가 깨끗하더란다. 나중에 알고 보니 그 나라 x-ray 기계에 습기가 차서 사진이 시커멓게 나온 것이더란다. 울음을 터뜨리며 남편에게 전화를 하자 남편은 자기 경험담을 들려주며 아마 오진일 가능성이 크다고 위로해 주었다.

소식을 들은 호주대사관 의사가 부랴부랴 싱가포르 병원에 약속을 잡아주었다. 약속 날짜에 맞춰 비행기표를 사고 출국 날짜를 기다리며 사무실에서 일 정리를 했다. 혹시나 안 좋은 소식일 경우 자카르타를 떠나야 할 수도 있었으므로 정리 할 일이 많았고 마음도 급해졌다. '아이고, 의미 없다...' 엊그제까지 너무나 중요하게 여겨졌던 많은 일들이 하찮게 느껴졌다. 자카르타에 오랜만에 놀러 온 언니를 위해 매일 저녁 약속을 잡아두었는데 좀 고민을 하다 취소하지 않고 예정대로 친구들과 저녁식사를 같이 하기로 했다. 만약 안 좋은 소식이면 이번이 자카르타 친구들을 보는 마지막일 수도 있으므로. 몇몇 친구들은 자기도 멍울이 있었다고, 생체검사 했더니 별거 아니었다고, 걱정하지 말라고 했다. 나를 안심시켜 주려는 친구들의 노력은 고마웠지만 걱정을 모두 떨쳐낼 수는 없었다. 낮에는 사무실가랴 일 정리하랴 친구들 만나랴 바빠서 그나마 나았지만 밤은 고역이었다. 생각이 꼬리에 꼬리를 물어 잠이 쉽게 오지 않았고, 특히 자다가 새벽에 깼을 때 몰려드는 부정적인 생각들에 많이 힘들었다. 그때는 몰랐지만 잠 못 드는 몇 달간의 시작이었다.

언니와 같이 싱가포르 행 비행기에 올랐다. 언니가 자카르타에 놀러와서 이 모든 일을 혼자 감당하지 않아도 되는 것에 감사했다. 또 다행이었던 것은 코비드 여행 제재가 풀려서 싱가포르 입국 후 2주간 자가 격리를 하지 않고 곧장 병원으로 갈 수 있던 거였다. 암일지도 모르는 상황에서 확진을 받기까지 2주간 자가 격리를 해야 한다고 상상해보라! 자가 격리를 해 본 사람들은 알겠지만 2주간 호텔에 갇혀 있는 일은 결코 쉬운 일이 아니다. 나는 가족과 떨어져 있는 관계로 4-5달에 한 번씩 뉴질랜드로 가족들을 보러 갔는데 갈 때마다 뉴질랜드에서 2주 격리, 자카르타에서 2주 격리를 해서 총 8번, 112일을 자가 격리를 하며 보냈다. 그렇게 헤아리니 마치 코비드 감옥살이를 한 것 같았다. 처음에는 의욕이 넘쳐서 자가 격리 동안 책도 많이 읽고, 운동도 열심히 하고, 요가 강사 자격증 공부도 했지만 두 번째 자가 격리 때부턴 살아남는 것만 목표로 삼고 넷플릭스와 와인에 의존해 시간을 보냈다. 다행히 매번 일을 할 수 있어서 주중에는 그나마 덜 무료한 시간을 보낼 수 있었지만, 그래도 자가 격리는 지겹고 힘들었다. 그런데 만약 이번에 자가 격리를 해야 했다면 일도 손에 안 잡혔을 테고 여러 모로 너무 힘들었을 것 같았는데 그런 제재가 풀려 너무 다행이었다.

싱가포르에 도착하니 형부가 공항으로 마중 나와 있었다. 언니는 자기 집에 같이 가자고 했지만, 나는 우선 호텔에 체크인 했다. 혼자 있고 싶었다. 자카르타에서는 언니가 옆방에서 자서 한편으로는 든든했지만, 한편으로는 소리 내어 울 수도 없었다. 혼자 실컷 울면 기분이 좀 나아질 것 같았다. 호텔에 짐을 풀고 샤워를 하고 일찍 자리에 누웠다. '만약 진짜 암이라면 어쩌지?' 처음으로 내가 죽을 수도 있다는 생각을 했다. 무서웠다. 모든 인간은 태어났으니 죽는다. 이 당연한 진리를 익히 알고 있었지만 나에게는 먼 훗날의 일이라고 여겼었다. 아무런 준비가 안 된 상태에서 코앞으로 다가온 죽음을 맞이해야 할지도 모른다는 공포가 엄습했다. 이제 11살밖에 안 된 아들 생각이 났다. 키가 쑥 자라 나랑 비슷했지만, 아직 아프거나 속상한 일이 있으면 엄마 품에 파고드는 애기였다. 그러자 그동안 참고 있던 울음이 터져 나왔다. 베갯잇이 흥건히 젖을 정도로 한참 소리 내어 엉엉 울고 있다가 갑자기 피식 웃음이 나왔다. 아직 검사결과도 안 나왔는데. 밖에서는 항상 자신 있고 씩씩한 나였지만, 이런 일을 겪고 나니 사실은 찌질이 울보 겁쟁이였던 것이 들통나고 말았다. "마음은 불확실성에 직면할 용기를 낼 때 성장한다"[1]는데 나는 아직도 내 삶을 통제하려는 부질없는 노력을 하고 있었다. 불현듯 3년 전에 돌아가신 아빠 생각이 났다. 아빠 생각을 하며 내가 제일 좋아하는 성경 구절 중 하나를 읊조렸다. "너희가 악한 자라도 좋은 것으로 자식에게 줄줄 알거든 하물며 하늘에 계신 너희 아버지께서 구하는 자에게 좋은 것으로 주시지 않겠느냐"[2]. '내 영적인 아버지와 육적인 아빠가 하늘에서 나를 지켜주시겠지'라고 막연히 생각하며 잠을 청했다.

다음 날 아침 일찍 언니와 함께 병원에 도착했다. 깨끗하고 시설이 좋은 병원은 꼭 호텔 같았고, 나를 맞이한 의사는 자상한 인상의 할아버지였다. 한국사람이 뉴질랜드 외교관으로 자카르타에 살고 있다가 검사를 받으러 싱가포르에 왔다고 하니 신기해 하셨다. 멍울을 확인한 의사 선생님은 바로 그 다음 날 생체검사를 받을 수 있게 조치해 주셨다. 뉴질랜드에서는 몇 주 정도 기다렸어야 했을 텐데 정말 파격적인 속도였다. 방을 나가려고 하는데 의사 선생님이 말씀하셨다. "아직 모릅니다. 아직 50대 50 확률이예요. 초음파 사진은 좋지 않지만 멍울이 부

---

[1] 비욘 나티코 린데블라드, "내가 틀릴수도 있습니다: 숲속의 현자가 전하는 마지막 인생수업".

[2] 마태복음 7장 11절.

드럽고 잘 움직이네요." 그 한마디에 온 세상이 다 환해 보였다. 다음 날 아침 일찍 병원으로 가서 생체 검사 전 내 건강상태에 관한 설문지를 작성했다. 기저 질환은 있는지, 정기적으로 먹는 약은 있는지, 여태껏 앓았던 병은 있는지, 수술 경험은 있는지. 모든 질문에 "아니요"로 답했다. '그런데 도대체 왜!' 하고 순간 화가 치밀었다. 부분 마취를 했음에도 생체 검사는 생각보다 많이 아팠다. 생체 검사 전 한 초음파 검사에서도 역시 나비모양의 멍울이 나왔다. 생체검사를 하는 선생님한테 "이런 모양의 멍울이 암이 아닌 경우도 있는지요?"라고 조심스레 물어봤더니 선생님은 애매한 웃음을 지으며 "검사결과를 기다려 봅시다"라고 했다. 검사결과는 5-6일 걸린다고 했다. 아니, 그럼 그동안 어떻게 살라고! 기가 막혔지만 상황은 나의 통제권을 한참 벗어나 있었다.

호텔방에서는 거의 매시간 인터넷 검색을 하고 있었다. 아는게 힘이고 모르는 게 약이라는데 나는 힘을 택했다. 영어, 한국어로 유방암에 대한 모든 것을 검색하고 관련 논문들도 찾아 읽었다. 마치 내일모레 유방암에 대해 국가고시를 보는 사람처럼 초 집중해서 공부를 했다. 주변에 암 걸린 친지가 거의 없는 이유로, 또 암이란 건 나같이 건강한 사람하곤 상관없는 병이라고 생각하고 살았기에, 나는 암에 대해 기초지식 외에 아는 것이 거의 없었는데 폭풍 검색을 통해 유방암도 참으로 다양한 종류가 있다는 것을 알게 되었다. 다행히 유튜브에는 유방암에 관해 전문의들이 설명해주는 채널도 많이 있었다. 공짜로 호텔방에 앉아 이런 고급 지식을 습득할 수 있다니 퍽 고마운 생각이 들었다.

다음 날 아침, 병원에서 연락이 왔다. 검사결과를 들으러 오후 일찍 병원에 오라는 거였다. 아니 5-6일 걸린다면서? 이게 과연 좋은 소식일지 나쁜 소식일지 돌돌돌 머리를 굴리며 혼자 궁리를 했다. 하늘이 무너져도 삼시 세끼를 꼭 챙겨먹는 나는 병원에 가기 앞서 호텔 중식당에서 혼자 조금 이른 점심을 먹었다. 속이 편하게 작은 탕을 하나 시켜 먹으려고 하는데 숟가락을 든 손이 덜덜 떨렸다. '세상일은 생각하는 대로 된다'를 마음속으로 되뇌며 다시 '괜찮을 거야, 괜찮을 거야. 내일이면 자카르타로 돌아갈 수 있을거야.'라고 스스로에게 주문을 걸었다. 언니와 함께 병원 대기실에서 기다리면서 담당의사 방문만 뚫어지게 바라보고 있었다. 인터넷 서핑도 마음의 여유가 있어야 가능하다는 걸 그때 알았다. 마침내 방문이 열리고 내 이름이 호출되었다. 종이 몇 장을 책상 앞에 놓고 앉아있던 의사 선생님이 내 눈을 똑바로 쳐다보며 말했다. "죄송합니다. 암입니다."

내가 알고 있던 나의 인생은 그렇게 끝이 났다.

03

훌륭한 사람

,

"제가 외교관이 되고 싶은 이유는 첫째, 외교관 여권을 가지면 공항에서 길게 줄을 설 필요가 없고, 둘째, 외교 차량 번호판을 달면 교통위반 딱지를 떼지 않아도 되고, 셋째, 제가 대사가 되면 사람들이 나를 Her Excellency라고 부를 것이기 때문입니다."

나를 인터뷰하던 3명의 중견외교관들은 벌어질 입을 다물 줄 몰랐다. 나는 눈을 찡긋하며 이렇게 덧붙였다. "아, 물론 세계 평화에 공헌하기 위해서도죠."

그러자 3명의 외교관 중 외교통상부 차관까지 하고 은퇴하신 분이 이렇게 물었다.

"오늘 이 인터뷰를 준비하기 위해 어떤 일들을 하셨습니까?"

나는 짐짓 심각한 표정을 지으며 말했다.

"외교통상부 웹사이트에 들어가서 정보도 읽고, 국제 정세에 관한 잡지와 자료들은 지난 수 년간 읽어왔으며, 외교통상부에서 일하고 있는 친구들의 이야기도 들었습니다."

그러자 질문을 하신 그 분이 눈을 찡긋하며 물었다.

"그리고?"

내 눈에서 빛이 반짝였다. 그리고는 다음과 같이 답했다.

"여러분들에게 잘 보이려고 오늘 아침에 미장원에 갔다 오고 엊그제 새로 산 최신형 정장을 입었습니다."

순간 엄숙했던 인터뷰장 안에 폭소가 터졌다. 나는 그 순간 내가 한국계 최초로 뉴질랜드 외교통상부에서 뉴질랜드 외교관으로 일하게 되었음을 알았다.

외교관 생활 20여 년째인 지금, 내 인터뷰가 얼마나 엉망이었는지 깨닫는다. 외교관 여권 덕에 공항에서 긴 줄을 피한 적은 있지만, 어쩔 때는 외교관 여권 때문에 남들보다 더 오래 기다려야 할 때도 있었다. 주한 뉴질랜드 대사관에서 일할 때 북한을 8번 방문했는데, 북한 입국 도장이 찍힌 외교관 여권을 들고 미국 같은 나라를 입국한다고 생각해보라. 내 여권을 들고 어디론가 사라진 출입국 사무소 직원 덕에 남들보다 두세 배 더 오래 기다려야 할 때도 있었다. 또 외교 차량 번호판을 단 차를 타고 다니는 것도 마찬가지다. 물론 나의 엉망진창 운전 솜씨를 눈감아 준 너그러운 경찰관들도 몇몇 있었겠지만 대부분 외교 차량은 너무 눈에 띄어서 교통법규를 준수하지 않을 수가 없었다. 혹시라도 사고를 내거나 교통 단속에 걸렸는데 고분고분 따르지 않아서 현지 매스컴에 기사라도 뜬다면? 외교관으로서 면책권은 있지만 뉴질랜드 정부가 가만 안 둘 것이다. 발령지에서 일찍 불려올 확률이 높고, 경우에 따라선 해고를 당할 수도 있다. 그리고 결정적으로 나는 아직 대사가 되지 못했다. 게다가 꼭 대사가 된다는 보장도 없다. 이것들을 다 알고 계시는 면접관들은 무엇 때문에 나한테 후한 점수를 주셨던 걸까? 뉴질랜드가 작은 나라인 관계로 뉴질랜드 대사관들 역시 직원수가 많지 않다. 그래서 외교관을 뽑을 때 가장 중요한 질문 중 하나가 "내가 만약 무인도에 이 사람과 단둘이 3년 동안 갇혀 있어야 한다면 나는 살아남을 수 있겠는가?"였다는 걸 몇 년 후에 배웠다. 유머감각과 배짱이 그렇게 모범 답안을 이긴 것이다.

외교관이란 직업은 여러모로 의미 있고 재미있고 보람찬 직업이다. 특히, 나처럼 이민자에겐 더 의미가 크게 다가온다. 까만 머리 노란 피부로 이 나라에 정착하려고 한 나의 노력들이 보상받는 기분이고 또 이방인인 나에게 국가기밀을 맡길 만한 믿음을 준 뉴질랜드 정부에 대한 고마움이 뒤섞여 그런 것 같다. 뉴질랜드 외교관으로서 나는 3개국에서 살았고, 3개의 언어를 배웠고, 수십 국가를 방문했다. 수십 명의 대통령과 총리, 장관들을 만났고, 모터케이드를 많이도 탔고 또 놓치기도 했다. 수십 번의 국제회의에 참석했고, 셀 수 없을 만큼 많은 행사에서 세계 각국의 외교관들, 엘리트들과 교류하며 그분들에게서 많은 것을 배웠다. 그리고 많은 시간을 전문과 씨름하고 관료주의와 싸우며 지냈다. 남들이 흔히 하지 못 하는 많은 경험을 했기에 외교관 생활에 대해서 책을 내면 훨씬 더 흥미로울 것 같다. 바티칸에서 교황을 만나고, 평양에서 서커스를 보고, 럭비 월드컵 결승전을 귀빈석에서 보고, 코비드로 인해 아무도 없는 비행기를 혼자만 타고 가는 건 아무나 할 수 있는 경험들이 아니니까. 하지만 아직 현역인 관계로 이 책에선 외교관으로서의 경험은 쓰지 않기로 했다. 외교관들은 항상 말과 행동을 조심하라고 교육받는다. 무심코 던진 한마디가 국가 입장을 대변하는 것으로 해석될 수 있기 때문이다. 그렇기 때문에 나에 대한 책을 낸다는 것조차 무모하게 여겨질 수 있다. 그래서 조금의 설명이 필요한 것 같다.

외교관으로서 나의 첫 번째 발령지는 서울이었고, '최초' 타이틀을 단 나는 한 신문사와 인터뷰를 하게 되었다. 젊은 여기자

와의 인터뷰였는데, 꽤 심각한 얘기를 오래 나누었음에도 불구하고 나중에 기사에는 "얼짱 외교관"으로 제목이 나갔다. 기자에게 항의조로 전화를 했더니 데스크에서 제목을 바꿔서 어쩔 수 없다고 했다. 매스컴의 힘은 위대해서 그 신문기사가 나간 뒤 나는 서울 외교가에서 소위 '반짝 스타'가 되었고, 심지어 자서전을 써보라는 제의도 받았다. 자서전이라니, 내가 인생에서 무슨 대단한 일을 했다고 스물 몇 살의 나이에 자서전을 쓴단 말인가! 철없던 나였지만 좋은 대학 들어가는 게 인생의 전부가 아니고, 좋은 직장을 가지고 있다고 해서 훌륭한 사람이 된 것은 아니란 것 정도는 알고 있었다. 어렸을 때 뉴스에 나오는 앵커들이 멋있어 보여 CNN 앵커가 되는 게 어떨까, 엄마에게 넌지시 물어보았을 때 엄마는 이렇게 대답하셨다. "글쎄, 그것도 좋지만 훌륭한 사람이 되어서 CNN 뉴스에 나오는 건 어떨까?" 그 후 나는 줄곧 '훌륭한 사람이 되어서 다른 사람이 내 자서전을 쓰게 해야지' 하고 생각했다. 하고 싶지만 하지 말아야 할 것과 하기 싫지만 해야하는 것을 잘 분간해야만 훌륭한 사람이 된다고 배웠기에 나는 대학을 다니며 하기 싫은 공부를 정말로 열심히 했고 시험기간이면 아빠한테 늘 투정을 부렸다. "아빠, 나 이렇게 열심히 공부하고도 훌륭한 사람이 안 되면 어떡하지?" 내가 칭얼댈 때마다 아빠는 아무 말도 안 하고 나를 꼭 껴안아 주셨는데 아마도 아빠는 공부를 열심히 하는 것과 훌륭한 사람이 되는 것과의 상관 관계는 낮다는 것을 알고 계셨지만, 공부한다고 폼 잡는 막내딸 앞에서 차마 그 얘긴 못하겠고, 또 그렇다고 거짓말을 할 수도 없어 그냥 아무 말도 안 하는 현명한 선택을 하신 것 같다.

암 진단을 받고 나자 머릿속에서 오만 가지 생각이 다 떠올랐는데, 그 중 하나는 내가 훌륭한 사람이 되지 못하고 죽을 수도 있다는 거였다. 암 진단을 받기 전까지 죽음이란 건 추상적인 개념이었고, 나는 당연히 꼬부랑 할머니가 될 때까지 살 수 있을 줄만 알았다. 호랑이는 죽어서 가죽을 남기고, 사람은 죽어서 이름을 남긴다는데, 나는 과연 이 세상에 무엇을 남기고 가는 걸까. 우선 아들 생각이 났다. 아들을 난 건 내가 이 세상에 태어나 가장 잘 한 일이었고, 그 아이는 내가 세상에 남길 가장 확실한 선물이었다. 그리고는 내가 쓴 두 권의 책들이 있었다. 하나는 내 박사학위 논문을 정치학 교재로 쓰이는 "New Zealand Government and Politics"라는 책에 'Asian Participation'이라는 챕터로 써낸 것이었다. 외교관으로 풀타임 일을 하면서 박사학위 코스를 풀타임으로 밟은 나는 몸과 마음이 지쳐 있었고, 논문 디펜스를 끝내고 나서 다시는 논문을 비롯한 그 어떤 책도 읽고 싶지 않았다. 그래서 내 논문을 책으로 내자는 담당 교수의 제안에 한참을 고민했지만, 그래도 책으로 내지 않으면 이 세상 그 어떤 사람도 내 논문을 읽어주지 않을 거라는 생각에 꾸역꾸역 논문을 요약했는데, 지금 생각해보니 그건 참

잘한 일이지 싶다.

또 하나는 제이미의 4번째 생일선물로 만든 "Jamie's Magic Adventure"라는 한국어-영어 bilingual 그림책이었다. 나는 아이가 태어나고 2년 반을 휴직했고, 그 후 2년을 파트타임으로 일했는데 운 좋게도 그때 우리 옆집에 살던 사람이 self-publishing을 한 경험과 일러스트레이터로 일해본 경험이 있는 사람이어서 일을 나가지 않는 화, 목요일에 짬을 내어 이웃과 함께 책을 만들었다. 짧은 그림 책이었지만 몇 십 번의 교정을 거쳐야 하는 그리 녹록하지만은 않은 과정이었다. 그래도 만들어 놓고 보니 뿌듯했다. 도서관 여러 곳에 기증도 하고, 어린 아이가 있는 친구들에게 선물도 하고, 회사에서 크리스마스 마켓이 열리면 거기서 팔기도 했다. 아이도 물론 너무 좋아했다. 이렇게 책을 낸 경험은 좋은 기억으로 남았지만 박사학위 논문과 그림책만으로 기억되어 지기는 싫었다. 내가 이민자로서, 변호사로서, 워킹맘으로서 겪은 경험들을 나누고 싶었고, 암 투병을 하며 배운 것들도 나누고 싶었다. 그래서 나 자신의 이야기를 스스로 써야겠다는 생각이 들었다. 내가 훌륭한 사람이 될 확률도, 다른 사람이 나의 자서전을 써 줄 가능성도 희박해 보였으므로.

생각이 여기까지 미치니 다른 걱정들이 밀려왔다. 우선, 나는 한번도 내가 글을 잘 쓴다고 생각해 본 적이 없었다. 학교 생활 22년 동안 애국가 쓰기 대회, 과학경진대회, 수학경진대회, 개근상, 우등상, 공로상 등 상은 많이 받았지만 한번도 글 잘 써서 상을 받은 적은 없었다. 그래도 한구석 믿는 것이 있었으니 어릴 때부터 귀에 못이 박히게 듣던, 책 많이 읽은 사람이 글도 잘 쓴다는 어른들 말씀이었다. 돌상에서도 책을 집었다던 나였다. 책 읽는 거라면 어디 가도 빠지지 않을 자신이 있었다. 나이가 들면서 가장 뼈저리게 느끼는 것은 어른들 말씀 틀린 것 하나 없다는 건데, 그렇다면 그동안 읽은 책들이 크든 작든 도움이 되겠지. 여기까지 생각하니 또 걱정이 생겼다. 열 네 살에 뉴질랜드로 이민을 간 덕에 한국말도 제대로 못 하고 영어도 제대로 못 하는데, 도대체 어느 나라의 말로 글을 써야 할지 결정하기가 힘들었다. 이내 또 다른 걱정이 밀려왔다. 내가 남들에게 교훈적인 얘기를 할 만큼 학식이 풍부한 것도 아니고, 세계평화나 환경보호같이 중요한 이슈에 대해서 글을 쓰는 것도 아니고, 내가 감탄해 마지않는 수많은 작가들처럼 글 솜씨가 출중한 것도 아닌데, 누가 끄적끄적 적어 내린 내 이야기를 읽겠는가? 글은 한 자도 안 쓰고 끌탕하며 걱정을 하던 중 문득 이런 생각이 떠올랐다. 우선 써놓고 걱정하자! 책 좋아하는 나도 교훈적이고 유익한 책들보다 사람 사는 내용이 담긴 책들 읽는 걸 더 좋아하는데 이 세상에 나 같은 사람이 어디 한둘이겠나. 뭐 특별히 재밌는 인생을 산 것은 아니지만, 이 세상 그 누구도 자기가 살아온 인생을 적어놓으면 '재미없는 인생'이 어디 있겠나. 우리네 인생 자체가 드라마인 것을.

생각해보면 나에게 가장 엄격한 잣대를 들이미는 것은 항상 나였다. 위인전에 나올 만한 훌륭한 사람이 되어서 많은 이들에게 교훈을 주고 싶었고, 그렇게 되기 위하여 참 열심히 살았던 것 같다. 그러나 열심히 산다고 다 훌륭한 사람이 되는 것은 아니다. 어렸을 적엔 위인전을 즐겨 읽었다. 소설이나 에세이보다 위인전 읽는 것을 더 좋아했다. 읽으면서 '나도 이렇게 해서 훌륭한 사람이 되어야지' 하고 생각하곤 했다. 그런데 어느 날부터인가 더 이상 위인전을 읽지 않게 되었다. 대체 왜 그랬을까? 더 이상 위인전을 읽으며 배울 게 없다고 생각해서일까? 아니다. 훌륭한 다른 사람들 이야기를 읽고 나면 아직 훌륭하지 않고 또 앞으로 훌륭해 질 확률도 점점 낮아지고 있는 내 자신이 초라하게 느껴지기 때문이었던 것 같다. 아무도 나에게 훌륭한 사람이 되라고 압박을 주지 않았는데, 나는 왜 혼자 이렇게 자신을 학대하고 있는 것일까? 내가 스스로에게 엄격했기 때문에 이만큼이나 성공했다고 생각했는데 사실은 내가 내 자신을 힘들게 만들고 있는 것은 아니었을까? 이런 예는 또 있다. 한국계 최초로 뉴질랜드 외교통상부에 들어온 나는 내가 잘 해야 한국 후배들이 앞으로 외교통상부에 들어올 수 있다는 생각에 남들보다 더 열심히, 더 늦게까지 일을 했다. 그래서 한국계 후배들이 한 두 명 늘어나기 시작하자 속으로 혼자 뿌듯했다. 그리고 그네들에게 좋은 본보기가 되기 위해 더 열심히 일했다. 그러다 몇 년이 지나자 깨달음이 왔다. 이 후배들은 나보다 더 똑똑하고, 야무지고, 여러 모로 대단한 사람들이어서 내가 있건 없건 상관없이 외교통상부에 들어와서 승승장구 할 사람들이라는 것을. 그것도 모르고 나 혼자 북 치고 장구 치고 없는 고생을 사서 한 것 같았다. 그래서 그 후엔 나 자신에게 좀 더 너그러워지려 노력 중이다. 아마 그래서 훌륭한 사람이 되지 않은 나에 관해서, 어찌 보면 여자로서 커다란 단점이라고도 할 수 있는 '유방암 투병'에 관한 책을 쓸 생각도 하게 된 것 같다.

이른바 '훌륭한 사람' 집착증을 보이던 내가 요즘 생각하는 훌륭한 사람의 요건은 이렇다. "나에게 감사해야 할 사람이 내가 감사해야 할 사람보다 많은 사람." 언젠가 책에서 읽고 가슴에 콱 박힌 문장이다. 해마다 연말이 되면 내가 감사해야 할 사람은 수도 없이 많은데 나에게 감사해야 할 사람은 한 손가락으로 꼽고도 한참 남는다는 글. 남들이 보기엔 성공한 삶을 살아가고 있을지 몰라도 이 생각만 하면 한없이 작아지는 나를 보게 된다. 나는 아직도 연말에 내게 감사해야 할 단 한 사람도 만든 적이 없는 것 같다. 열심히 살아왔다 생각했는데 돌이켜 보면 지식을 습득하기에만 급급했고 내가 가진 것을 나누는 데에는 인색했던 것 같다. 그래서 이 책은 훌륭한 사람이 되기 위한 나의 작은 노력이다. 투병기간 중 내 생활을 돌아보면 다른 사람들의 투병기를 읽으면서 많은 위안을 받았던 것 같다. 나만 이렇게 힘든 시간을 보내고 있는게 아니라는 안도감. 한없이 초라해지는 나 자신에 대한 위로. 나보다 더 심각한 병을 앓으면서도 씩씩하게 삶을 살아가는 분들에 대한 존경심. 이 힘든 시간이 지나면 다시 예전 같은 삶을 살 수 있을 거라는 희망. 내 글을 읽고 단 한 분이라도 내가 느낀 이런 감정들을 아주 잠깐이라도 느끼실 수 있다면. 그러면 나는 아주 조금은 훌륭한 사람이 된 것이 아닐까 싶다.

국제회의에 뉴질랜드 대표로 참석 / 2022년

평양에서 신임장 제정하는 뉴질랜드 대사 옆 배석 / 2007년

칼라이더스코프
<만화경>

"정치담당 서기관 명함에 놀라는 외교관들 많아요"

서울 외교가 '얼짱' 외교관 **박시정**

"외교관이세요?" 분홍빛 원피스에 길고 검은 머리의 그녀를 처음 보는 사람들은 그녀의 명함을 받아들고 그런 질문을 던지지 않을 수 없다. 조용하고 부드러운 인상의 그녀는 서울 외교가의 '얼짱 외교관' 주한 뉴질랜드 대사관의 박시정(Sheejeong Park·28) 정치담당 서기관이다.

"어느 회의에서 저만 명함을 못 받은 일이 있었어요. 한국측 참석자가 참석한 외교관들에게 모두 명함을 한 장씩 주셨는데, 저는 건너뛰시더군요. 처음엔 어찌된 일인가 싶어 당황했지요. 나중에야 제가 정치담당 서기관일 줄 짐작 못했다고 말씀하시더군요."

여성의 고위직 공직 진출이 자연스럽게 받아들여지는 뉴질랜드는 상징적인 국가 수반인 총독부터, 총리·국회의장·대법원장 등 3부 요인은 물론, 뉴질랜드 최대 기업인 '텔레콤 뉴질랜드'의 CEO도 모두 여자이다. 그렇지만 한국에서는 그렇지 않아 다소 당황스러운 경험을 했다는 것이다.

가족들과 함께 뉴질랜드로 이민 간 것은 중학교 때인 1991년.

공부를 파고 들기 시작한 것은 오클랜드 대학교 입학 후였다. 욕심이 많아 법학과 정치학 두 개의 전공을 모두 마치느라 5년 만에 졸업했다. 법대를 우등으로 졸업한 후, 로펌에서 해상법 전문 변호사로 3년간 일하다 외교부 공채 시험을 치렀다.

"왜 돈 잘 버는 변호사를 그만뒀느냐고요? 한국인이라는 장점을 가장 잘 살릴 수 있는 곳이 외교 무대라는 생각이 들었기 때문이지요. 양국을 잇는 다리 역할을 한다는 매력도 빼놓을 수 없고요."

우리나라와 달리 외무고시가 따로 없는 뉴질랜드에서는 해마다 1000여명이 외교부에서 실시하는 충원 시험에 응시하고, 그 중 20~30명만이 좁은 문을 통과한다. 그녀는 2년 전 한국인 출신으로는 처음으로 외교부에 들어가 북아시아 지역 담당으로 근무하다 올해 3월에 한국에 부임했다.

그녀는 뉴질랜드가 다른 어느 나라 못지않게 한국과 '가까운 나라'라고 강조했다. "뉴질랜드 오클랜드에만도 한국인이 4만명이나 된답니다. 뉴질랜드 전체 인구의 1%나 되는 셈이죠."

박 서기관은 요즈음 퇴근 후에도 책상 앞을 떠날 겨를이 없다. 박사학위 논문인 '뉴질랜드 동양인의 정치 참여도'를 올해 안에 마무리 지을 계획이기 때문이다.

신정선기자 (블로그)violet.chosun.com

서울외교가의 얼짱 외교관인 주한 뉴질랜드 대사관의 박시정 정치담당 서기관. 이명원기자 (블로그)mwlee.chosun.com

조선일보에 난 기사 / 2005년

04

음식과 행복

,

제일 먼저 남편에게 연락을 했다. 암이라고. 아직 검사를 더 해봐야 치료 계획이 나온다고. 항상 논리적인 남편은 언제나처럼 차분하게 얘기했다. 검사를 다 받을 때까지는 너무 걱정하지 말자고. 그리고 제이미한테는 자기가 얘기를 하겠다고 했다. 고마웠다. 도무지 아이와 통화를 할 자신이 없었다. 목소리를 듣는 순간 눈물이 나올까 봐, 그래서 아이를 겁먹게 할까 봐 두려웠다. 일년 전쯤 인도네시아 가정부가 코비드로 돌아가셔서 울면서 남편한테 전화를 했는데, 그때 내가 우는 목소리를 들은 아이는 외할머니가 돌아가신 줄 알고 심장이 철렁 내려앉았다고 했다. 아, 엄마란 존재는 얼마나 아이에게 큰 영향을 끼치는지. 자기 세상에 서서히 빠져들어 예전처럼 엄마를 찾진 않았지만 아이는 여전히 나의 행동 말투 하나하나를 주시하고 있었다. 엄마는 괜찮다고, 치료 잘 받고 잘 이겨낼 거라고, 뭔가 희망적인 얘기를 해줘야 할 텐데 나는 전혀 준비가 되어있지 않았다.

암 진단을 받고 나서 아이는 괜찮냐는 질문을 많이 받았다. 심지어는 아이에게 암 걸린 얘기를 했냐고 묻는 사람들도 있었다. 남편은 언제나 아들을 아이 취급하지 말고 어른과 동등한 한 인간으로 존중해줘야 한다고 말했고 늘 그렇게 행동했다. 아들을 아이 취급하면 아이처럼 떼를 쓸 것이고 한 사람의 동등한 인간으로 대접하면 어른처럼 행동할 것이라고 했다. 그래서 우리는 세 살도 안 된 아이와 가족여행을 어디로 갈 건지에 대해 토론했고, 아이는 세계지도를 앞에 놓고 휴가 계획에 대해 우리와 진지하게 대화를 나눴다. 초등학교도 안 들어간 아이가 북한에 대해 물어보자 민주주의와 공산주의의 다른 점 및 근대 한국사를 설명해 줬고, 아이는 초등학교 1학년 때 학교에서 있는 자유 발표 시간에 북한의 핵문제에 대해 발표를 했다. 아이가 다섯 살 때 뉴질랜드 총선이 다가오자 우리는 각 정당들의 주요 정책에 대해 설명해주고 뉴질랜드가 여성에게 참정권을 처음으로 준 나라라는 설명도 해 주었다. 선거 날에는 투표장에 아이를 데리고 들어가 직접 투표를 할 수 있게 해 주었고, 아이는 우리와 함께 밤 늦게까지 개표 현황을 지켜보았다. 또 회사에서 하는 리더십 워크숍에 가기 전에는 일곱 살 아들에게 "21세기에 리더가 갖춰야 할 덕목"에 대한 아이의 의견을 물어보았고 "친절함과 인내심"이란 아이의 대답에 두 가지 중 어느 것도 가지고 있지 못한 나에 대해 반성하는 시간을 갖기도 했다. 이런 환경에서 자란 아이에게 엄마가 암에 걸린 얘기를 안 하는 것은 아이의 신뢰를 완전히 깨트리는 일일 터였다. 다행히 아이는 담담히 소식을 받아들였다고 했지만 나는 지레 겁을 먹고 아이랑 며칠간 통화하지 못했다.

그나마 다행인 것은 검사들이 일사천리로 진행되었다는 것이다. 암 진단 다음 날은 PET scan을 찍으러 갔다. 암이 왼쪽 유방이 아닌 다른 데에도 퍼져있는지 알아보는 검사라고 했다. 검사 기기에 들어가는데 너무 긴장되어 몸이 덜덜 떨렸다. 처음에는 내 몸이 떨리고 있다는 것을 알아채지 못하고 검사 기기가 흔들리는 건 줄 알았다. 검사 기기 안에서 움직이지 않아야 하는데 내가 계속 벌벌 떨고 있자 의사는 검사 기기를 중단시켰고 간호사들이 달려왔다. 간호사들이 내 등을 쓰다듬으며 숨을 크게, 천천히 쉬라고 했다. 하나, 둘, 셋, 숨 들여 마시고, 하나, 둘, 셋, 숨 내쉬고. 신기하게도 그렇게 하자 몸 떨림이 가라앉았다. 숨을 천천히 쉬는 건 몸한테 안심해도 된다는 신호를 보내는 거라고 나중에 읽었고 또 그 계기로 명상을 시작하게 되었다. 요가랑 성악을 할 때도 비슷한 호흡법을 사용했지만, 솔직히 호흡의 중요성을 잘 몰랐었는데 이런 극심한 스트레스 상황에 처하게 되니까 호흡법의 중요성을 온몸으로 느낄 수 있었다. 음식을 잘 먹는 것만큼이나 호흡을 잘 하는 것이 중요하다고 읽었고 암에 대한 공포로 온 몸이 마비될 듯 느껴질 때마다 복식호흡을 했다. 그 후 여태껏 매일 아침 일어나면 명상, 요가, 침대 정리, 세면 후 아침을 먹는 아침 루틴을 철저하게 지키고 있다.

복잡한 의학용어 대신 쉽게 설명해 준 의사 선생님 말에 의하면 PET scan은 몸속에 설탕 물을 집어넣어 그 설탕을 먹고 반짝반짝 빛이 나는 암세포들을 찾는 것이라고 했다. 다행히 왼쪽 유방을 제외하곤 반짝이는 곳이 없었고, 그 반짝거리는 암세포 사진을 본 후 나는 설탕을 딱 끊었다. 초콜릿과 아이스크림을 좋아해 거의 매일 후식으로 먹던 내가 하루아침에 단 것을 딱 끊을 정도로 그 사진의 충격은 컸다. 의사 선생님은 건강한 식단을 유지하는 선에서 가끔 디저트를 먹어도 된다고 하셨지만 나는 그날 이후 모든 식품의 영양성분표지를 꼼꼼히 읽기 시작했다. 생각 외로 설탕의 함유량이 높은 음식은 많았다. 케이크, 과자, 탄산음료 같은 음식들이야 설탕이 많이 들어간 게 놀랍지 않았지만 나름 건강하다고 여겼던 시리얼, 요거트, 과일 주스 등도 설탕 함량이 너무 높았다. 당장 아침으로 먹을 음식부터 바꿔야 했다. 설탕을 아예 안 먹는 건 너무 힘들고 또 그래서 오래 지속할 수 있을 것 같지 않았다. 다행히 당뇨환자가 많은 뉴질랜드에는 저당이나 대체설탕으로 만든 음식들이 많이 있었다. 케토 식단으로 만든 디저트를 만들어 파는 카페도 있었고 심지어 아이스크림도 설탕이 2g밖에 들어가지 않은 것도 있어서 감사했다. 이런 음식들조차 자주 먹지는 않았고, 최대한 설탕 섭취를 줄이려고 노력했지만, 원하면 먹을 디저트가 있다는 것과 먹을 수 있는 것이 아예 없다는 것과는 정신적으로 큰 차이가 있었으므로 냉장고에는 여차하면 먹을 수 있는 저당 디저트를 쟁여 놓았다. 임신성 당뇨병이 있었던 나는 '언젠가' 설탕을 줄여야 한다는 것을 알고 있었지만 그 '언젠가'가 이렇게 빨리 찾아 올 줄은 꿈에도 몰랐다.

암 진단 전에도 나름 건강한 식단을 유지하고 있다고 생각했지만, 암 진단 후에는 먹는 것에 더 신경을 쓸 수밖에 없었다. 인터넷에는 암 환자 식단에 관해 너무나 많은 정보가 넘쳐났고, 또 상반되는 정보들도 너무 많았다. 예를 들어, 어떤 웹사이트에서는 고기를 딱 끊으라고 하고 어떤 웹사이트에서는 고기를 주기적으로 섭취해야 한다고 했다. 어떤 웹사이트에서는 과일에도 당분이 많으니 과일을 먹지 말라고 하고 또 어떤 웹사이트에서는 신선한 과일을 매일 먹으라고 했다. 물만 해도 어떤 웹사이트는 그냥 생수가 좋다고 하고 어떤 웹사이트는 알칼리성 물을 마셔야 한다고 했다. 도무지 종잡을 수가 없었다. 뉴질랜드에서 명망 높은 암 환자 영양사에게 자문도 구했으나 자회사 식품 판매에 급급한 모습에 많이 실망했다. 그래서 "아무거나 먹으라"는 주치의 의견과 내가 웹사이트에서 찾은 정보들 중 내가 생각하기에 이치에 맞는 것, 또 내가 지속할 수 있는 식단을 선택하기로 했다. 우선 매끼 식사 할 때마다 신선한 야채를 여러 종류 많이 먹었다. 양상추, 오이, 당근, 피망, 방울토마토 등을 깨끗이 씻어 소스도 뿌리지 않고 그냥 먹었다. 식후에는 꼭 과일을 먹었다. 원래부터 워낙 과일을 좋아했고 과일

안에 들어있는 천연 당은 괜찮다는 얘기를 믿기로 했다. 대신 과일 주스와 말린 과일은 피했다. 밥과 빵, 밀가루 음식도 먹지 말라는 얘기를 들었으나 탄수화물 섭취를 안 하면 몸이 너무 휘지고 머리가 안 돌아 일을 할 수가 없을 것 같았다. 그래서 잡곡 비율을 높인 잡곡밥을 먹었고 식빵도 곡류가 더 많이 들어간 것으로 바꿨다. 좋아하던 국수도 가끔 외식할 때만 먹었고 라면 같은 인스턴트 음식은 끊었다.

반면, 신선한 고기에 있는 영양소의 좋은 점이 나쁜 점보다 더 많다고 보고 고기는 자주 먹었다. 대신 소고기, 돼지고기, 양고기 보다 닭고기나 생선을 더 자주 먹었고 좋아하던 살라미, 햄 등도 줄였다. 튀긴 음식도 피했다. 아무 생각 없이 먹던 포테이토칩스와 비스킷 등을 먹지 못하게 되니 간식으로 먹을 거리가 확 줄어 힘들었다. 출출할 때는 간식으로 당근과 호두를 씹으며 눈물을 삼켰다. 그중 가장 힘든 건 음료수였다. 물과 차를 제외하곤 마실 수 있는 음료가 없었다. 원래 커피를 마시지 않았기에 카페에 가면 차 외에 레모네이드, 진저비어, 핫초콜릿, 밀크쉐이크 등등 여러가지 음료수를 시켰고 또 음료와 함께 바나나 케이크, 브라우니, 머핀 등 간식거리를 종종 시켰었는데 이제는 그것조차 힘들어지자 좋아하던 카페에 가도 더 이상 즐겁지 않았다. 또 힘든 건 술이었다. 주치의는 가끔 마시는 한 두 잔의 술은 괜찮다고 했지만 내가 읽은 거의 모든 웹사이트에서는 술을 끊어야 한다고 했다. 뉴질랜드에서 오래 살아서 저녁에 한 두 잔의 와인을 마시는 것이 몸에 밴 나로서는 힘든 선택이었다. 금요일 오후 동료들과 한 잔 하는 재미로 회사를 다녔었는데. 정녕 소주 없이 회를 먹고, 맥주 없이 피자를 먹고, 와인 없이 스테이크를 먹어야 한단 말인가. 눈앞이 캄캄했다.

처음에는 식단 조절을 해야 하는 나 자신이 너무 불쌍해서 눈물이 나왔다. 나는 먹는 것을 엄청 좋아하는 사람이다. 내가 태어났을 때 집안 어른들이 작명소에 가서 큰애(언니)가 입이 짧으니 둘째는 좀 잘 먹었으면 좋겠다고 했고, 그래서 받아 온 이름이 중성적이고 흔치 않은 '시정'이란 이름이란다. 그래서인지 나는 어려서부터 먹는 걸 좋아했고 나이가 좀 들어서는 거의 집착에 가까울 정도로 음식을 좋아하게 되었다. 이름 탓 외에 내 나름의 이유는 임신 때 마드리드에서 먹고 싶은 음식을 못 먹은 게 트라우마가 되어 그런 게 아닌가 싶다. 그때 남편은 스페인 대사라 으리으리한 대사관저에서 살고 있었는데, 그럼에도 불구하고 내가 먹고 싶었던 매콤한 소고기 미나리 전골 하나 먹지 못한다는 서러움에 임신으로 볼록해진 배를 쓰다듬으며 하염없이 눈물을 흘렸던 기억이 있다. 외교통상부 본부가 있는 뉴질랜드의 수도 웰링턴 또한 인구 40만의 작은 도시이기 때문에 한국음식을 비롯한 아시아 음식 맛집을 찾기가 힘들었고, 이런 상황이 더 나로 하여금 음식에 집착하게 만든 것 같다. 서은국 교수님이 "행복의 기원"에 쓰신 말처럼 "좋아하는 사람과 함께 맛있는 음식을 먹는 것"이 내 행복의 핵심이었는데, 그런 내가 이제 먹고 싶을 걸 마음껏 못 먹는다니! 앞으로 남은 나의 인생이 너무 불행할 것 같았다. 그런데 이것이 또 아이러니한 게 한편으로는 음식 조심해서 또 아프지 말아야지 싶다가도 또 한편으로는 '어차피 한번 사는 인생 맛있는 것 양껏 먹고 죽는 게 낫지 않나' 싶기도 해서 마음이 갈팡질팡 했다.

친구를 만나 나의 불행에 대해 토로했다. 내 인생의 낙이 사라진 것 같다고. 가만히 듣던 그 친구는 조용히 말했다. 이제 중년이 된 우리 모두 그렇게 식단을 바꿔야 하지만 그럴 용기와 계기가 없는 것뿐이라고. 아, 맞다. 그러고 보니 암에 걸리지 않고도 식단 조절을 하는 사람들은 많았다. 모델, 운동선수, 배우 등등. 게다가 그분들은 나처럼 내 맘대로 하는 식단 조절이 아닌 정말 극한으로 식단 조절을 하는 사람들이었다. "먹어봤자 내가 아는 그 맛이다"라며 다이어트를 했다던 가수도 있지 않은가. 그리고 살펴보니 주변에도 아토피, 당뇨병, 위장병 등등 암이 아닌 다른 병 때문에 식단 조절을 하는 사람들이 꽤 있었다. 생각해보니 나 역시 임신중에 임신성 당뇨병 때문에 식단 조절을 했었더랬다. 게다가 살기 위해서가 아니라 단순히 살을 빼기 위해서 식단 조절을 하는 사람들도 많이 있지 않은

가. 그래서 그때부터 마음가짐을 바꾸기로 했다. "상실을 박탈이 아닌 재배치로 보라"는 말처럼[3]. 못 먹는 음식들에 연연하지 않고 먹을 수 있는 음식들을 감사히 먹기로 했다. 신기하게도 식단을 바꾸니 입맛도 바뀌어 한 한달 정도 지나자 단 음식이나 가공 음식이 별로 먹고 싶지 않았고, 외식 할 때 먹는 거의 모든 음식이 많이 짜다고 느껴졌다. 술도 안 마시게 되자 술 먹고 싶다는 생각조차 잘 들지 않았다. 술을 부르는 음식도 피했다. 암 진단 후 몸무게가 7kg 정도 빠졌는데, 식단을 바꾸고 꾸준히 운동을 하니 그 몸무게가 계속 유지되어 20대때 입던 바지들이 다시 맞는 건 생각지도 않던 선물이었다. "아픔을 딛고 일어서기 위해서는 자신의 감정 중에서 건강하고 긍정적인 것만 선택해야 한다"라고 류시화 시인이 말한 것처럼, 나는 이 상황에서 긍정적인 것들을 찾으려고 무던히도 애썼다.

3 프랭크 브루니, "상실의 기쁨".

05

영어, 그리고 외국어 학습법

“엄마, 밥풀떼기들만 잔뜩 있어.”

비행기에서 내려다 보이는 뉴질랜드는 서울의 풍경과는 영 딴판이었다. 높은 빌딩 하나 없는 푸른 초원에 하얀 밥풀떼기들만 다닥다닥 붙어있었다. 뉴질랜드 인구보다 5배나 많다는 양들이 그 밥풀떼기들이었다. 만 14세의 나이에 부모님 손에 이끌려 온 뉴질랜드에 대한 나의 첫인상이었다.

요새는 초등학교 전 유치원에서부터 영어를 가르친다던데, 우리 때만 해도 어려서 영어 과외 하는 일은 그리 흔치 않았다. 아니, 흔했는데 부모님이 과외를 싫어하신 걸 수도 있겠다. 그래서 나는 중학교 1학년 때 학교에서 처음 영어를 배웠다. 그러니 중학교 2학년 시작 전 뉴질랜드로 온 나는 영어를 거의 못 했다고 봐야했다. 엄마 손에 이끌려 오클랜드 서쪽에 있는 Lynfield College를 찾아갔다. “What’s your name?” 엄마 뒤에 쭈뼛쭈뼛 서있던 나에게 상냥하게 생긴 선생님이 물었지만 나는 대답을 할 수가 없었다. 분명히 학교에서 배운 것이긴 한데. 노란 머리 선생님 앞에서 기가 죽은 까닭도 있었지만 한국에서 흔히 듣던 미국식 발음이 아닌 뉴질랜드 발음을 알아듣기 힘들어했던 까닭도 있었으리라. 부모님과 몇 마디 더 이야기를 나누신 선생님은 언니와 나를 ESL(English as Second Language) 클래스에 넣으셨다.

그 반에는 약 12명의 외국인 학생들이 있었는데 중국, 일본, 인도 그리고 이란에서 온 학생들이었다. 첫 날 선생님이 강아지와 고양이 그림이 그려진 동화책으로 뭐라뭐라 열심히 설명하셨는데 우선 5살 이하의 아이들이 보는 것 같은 동화책으로 공부를 한다는 것에 자존심이 상했을 뿐더러, 그 쉬운 얘기조차 하나도 못 알아듣는 내 자신이 처량해서 닭똥 같은 눈물을 뚝뚝 떨어뜨리며 앉아 있었다. 옆에 앉은 두 살 많은 언니는 그래도 중학교 3년 동안 주워들은 영어단어들이 몇 개 있었는지 제법 받아 적기도 하고 뭔가 알아듣는 양 고개를 끄덕거리기도 했다. 그 당시 "because"란 단어도 모르던 나는 (중학교 2학년 영어교재 제일 첫장에 나오는 단어가 because였다. 1학년만 마치고 뉴질랜드로 이민 온 나는 모를 수밖에.) 기껏해야 dog, cat 같은 쉬운 단어나 몇 개 눈에 들어왔다. 새로 들어온 아이가 핏기 싹 가신 얼굴로 눈물이 그렁그렁 맺혀 있는 게 측은해 보였는지 선생님이 옆에 앉아서 뭐라뭐라 물어봤다. 몇 번씩 거듭거듭 물어봤지만 나는 무슨 소린지 알아들을 수가 없어 얼굴이 더더욱 일그러졌다. 참을성 많던 그 선생님도 안되겠다 여기셨는지 내 공책에다 "Too hard?"라고 적으셨다. 나는 "too"라는 단어도 "hard"라는 단어도 몰랐기에 왈칵 울음을 쏟고야 말았다.

그 후 몇 달을 어떻게 학교에 다녔는지 별로 기억에 남는 것이 없다. 아마 너무 끔찍했던 기억들은 뇌 스스로 망각시켜 주는지, 그저 화장실에 들어가 문을 꼭 잠그고 나면 아무도 없는 나만의 공간에 왔다는 안도감이 밀려왔다는 기억밖에 나지 않는다. 매일 아침 머리가 아프거나 배가 아팠던 기억도 난다. 그래도 대견하게도 학교 안 가겠단 소리는 안 하고 매일매일 학교에 갔다. 유학이나 이민가서 영어 과외다 뭐다 열심히 하는 아이들을 많이 봤는데 '과외'라는 단어에 알레르기 반응을 보이시던 부모님은 방과 후 아이들이 방에서 뒹굴뒹굴거리는 걸 좋아라 하셨다. 그저 시장 가서 그때 당시 서울서 비싸 못 사먹이던 바나나, 치즈, 초콜릿 등을 잔뜩 사다가 먹이는 일에 전념하셨다. 학교는 일찍 끝나지 (3시 10분이면 고등학교 수업이 끝났다), 친구는 없지, 할 일도 없지, 나는 먹어대기 시작했다. 아무리 한창 자랄 나이라고는 하지만 그래도 좀 비정상적으로 먹어댔다. 아마 예민한 사춘기 때 이민 와서 받은 스트레스를 고스란히 먹는 걸로 풀었던 것 같다. 점심 땐 맥도날드 빅맥 세 개쯤은 거뜬히 해치웠다. 치즈 버거 1개에 $1 프로모션 할 때는 온 가족이 10개 사서 아빠 엄마 언니 하나씩 먹고 내가 나머지를 다 먹어치웠다. 화요일마다 'Eat all you can' 프로모션을 했던 피자헛에 가면 피자를 14쪽씩 먹곤 했다. 뷔페에 가면 풀코스를 세 번 정도 도는 것은 기본이었다. 평생 '통통한 아이'를 갖는 게 소원이셨던 우리 부모님은 얼씨구나 사흘이 멀다 하고 뷔페에 나를 데려가곤 하셨다. 처음 이민 올 때 40kg이었던 나는 덕분에 8개월 만에 60kg의 거구가 되었다.

언제 이민가는 게 가장 좋냐는 질문을 많이 받았다. 너무 일찍 가면 영어는 잘해도 한국말을 잘 하기 힘들고, 너무 늦게 가면 영어를 배우기 힘들기 때문에 영어와 한국말을 곧잘 하는 나를 보며 중학교 1-2학년이 이민가기에 적절하다는 생각을 많이들 하셨던 것 같다. 그러나 중학교 1-2학년 아이들처럼 잔인한 아이들이 또 있을까? ESL에서 영어만 배운 지 한 달, 선생님께서 어느 날 수학, 과학, 그리고 체육 수업에 들어가기 시작하라고 하셨다. 아마도 영어를 많이 사용하지 않아도 되는 수업들이니 좀 적응하는데 쉽다고 생각하신 것 같았다. 그러나 체육시간은 친구들과 짝 지어서 하는 일이 많은 수업시간이다. 학기 중간에 들어간 영어도 잘 못 하는 머리 까만 동양 여자애를 이미 끼리끼리 뭉쳐져 있는 백인아이들은 신경도 안 썼다. 서울에서는 반장도 하고, 전교 어린이회 회장도 역임했던 소위 '잘 나가는' 나였는데 신세가 처량했다. 다행히 반에 중국

여자애들이 몇 명 있었는데 구석에 찌그러져 있던 나를 불쌍히 여겼는지 자기네들 팀에 끼워줬다. 한참 공을 가지고 놀고 있는데 우리 공이 옆에 있는 금발머리 여자애들 쪽으로 또르르 굴러갔다. 주우려고 쫓아 가니 한 여자애가 공을 집어 들었는데 우리 쪽으로 던져 주기는커녕 오히려 반대쪽으로 휙 던져 버렸다. 나는 기가 막혔다. 더욱 기가 막힌 건 우리 팀에 있는 다른 동양 애들은 화를 낼 생각도 않고 아무 말 없이 그 공을 주우러 열심히 뛰어가는 거였다. 처음 있는 일이 아닌 듯했다. 얼굴이 벌개져 있던 나는 친구가 가져온 공을 집어 우리 공을 반대쪽으로 던진 여자애 앞으로 갔다. 코앞으로 다가가 영문도 모르고 나를 쳐다본 그 아이 얼굴에 공을 있는 힘껏 던졌다. 주르륵 코피가 터지고 와 울음이 터지고 헐레벌떡 선생님이 달려왔다. 공을 맞은 아이와 그 애의 친구들이 따발총처럼 선생님께 고자질을 했지만 대충 상황을 파악한 선생님은 나한테 아무 말도 하지 않으셨다. 혼내 봤자 알아듣지도 못했을 텐데 뭘. 그 후 반 아이 누구도 나를 놀리지 않았지만, 그 누구도 나와 놀아주지 않았다.

영어 어떻게 배우셨어요, 물어보면 딱히 할 말이 없다. 나는 영어를 체계적으로 배우지 않았다. 우리가 어렸을 때 한국말 배우듯 그냥 부딪치면서 배웠다. 그래서 나는 대학시절 거의 모든 법대생들이 하던 영어 과외조차 하지 못 했다. 문법을 알아야 남을 가르치던 말던 하지. 그저 학교에서 내주는 숙제만 열심히 했다. 나는 초등학교 1학년 때부터 방과 후엔 집으로 뛰어 돌아와 현관에서 신발도 벗지 않은 채로 엎드려서 빛과 같은 속도로 그날 숙제를 다 끝내고 내일 가져갈 가방까지 챙겨서 현관 앞에 놓고 나서야 나가서 놀았다. 누가 시키지도 않았는데 지금 생각해도 기특할 따름이다. 그 버릇이 남아있어 뉴질랜드에서도 숙제는 열심히 했다. 처음에는 ESL반에 있는 어린이용 동화책을 많이 읽었는데 시간이 좀 지나자 그런 책을 읽는 내 자신이 한심해져서 "키다리 아저씨" 책을 집어 들었다. 첫 페이지에 모르는 단어가 100개 정도 나왔지만 그래도 뭔가 수준 있는 책을 읽는다는 뿌듯함에 몇 주에 걸쳐 그 책 한 권을 다 읽었다. 사전을 일일이 찾으며 읽으니 진도가 너무 느리고 또 너무 재미가 없어서 그냥 읽었다. 내용을 이미 알고 있는 책이라 웬만한 단어들은 그냥 때려 맞췄다. 그래도 모르는 단어는 3번 이상 나와야 사전을 폈다. 그렇게 고생해서 책 한 권을 읽고 그 책에 자주 나오는 단어들을 외웠더니 그 다음부터는 책 읽는 속도가 많이 빨라졌다. 책 읽다 따분해지면 TV를 봤다. 뉴스도 보고 시트콤도 보고 그때 한국에서도 한참 인기 좋던 Beverly Hills 90210 같은 드라마도 보고. TV에서 나오는 짧은 문장들을 소리 내어 따라했다. 억양을 흉내내기 위해서였다. 그래도 공부라 생각하진 않았다. TV 보는 게 싫다는 사람은 찾기 힘드니까. 부모님도 TV 보지 말란 말은 안 하셨다. 영어로 쏼랑쏼랑하는 프로그램을 열심히 보고 있는 아이가 대견하신 듯했다. 내가 나중에 이민 처음 온 아이들에게 TV 많이 보라고 하니까 그 애들 부모님들이 질겁을 하신다. 그 분들께는 책상 앞에 붙어있는 것만이 공부라고 여겨진 게다. 웬만큼 귀가 트인 후에는 책을 소리 내어 읽었다. 내 발음을 스스로 들으면서 고쳐 나가기 위해서였다. 나중에 법대에서 너무나 지겨운 판결문을 읽을 때도 소리 내어 읽으면 잠도 쫓고 머리에도 잘 들어와 종종 소리 높여 책을 읽곤 했다.

나는 이후에 5개의 언어를 더 배울 기회가 있었다. 대학교 1-2학년 때 불어를 배웠다. 성적은 잘 나왔지만 아무래도 학교에서 성적을 잘 받기 위해 배우는 언어에는 한계가 있었다. 외교통상부에 들어와서 반년 동안 일주일에 한 시간씩 마오리어를 배웠는데 이것 역시 매일 쓰는 인사말 몇 개를 제외하곤 한 귀로 들어와서 다른 귀로 나가는 것 같았다. 또 동북아시아 부국장이었을 때는 2년 동안 일주일에 한 시간씩 일본어를 배웠는데 그때는 읽고 쓰는 것 말고 회화만 배웠다. 일본대사관 사람들을 만나면 간단한 인사말이라도 일본어로 하고 싶어서였다. 다행히 한국어와 많이 비슷했던 일본어는 조금 쉽게 배울 수 있었지만 일주일에 한 번 받는 레슨으로는 아무래도 한계가 있었다. 이러한 이유로 총 7개의 언어를 배웠지만 내가 어디 가서 명함이라도 내밀 수 있는 언어는 한국어, 영어를 제외하곤 스페인어와 바하사 인도네시아어밖에 없는데, 이 두 개 언어는 현지에서 살면서 몇 개월 동안 집중 레슨을 받아서 그나마 머릿속에 오래 남은 것 같다. 뉴질랜드 외교통상부는 외교관 발령 전 현지에서 언어 공부를 할 수 있게끔 적잖은 투자를 했는데, 나 역시 그 제도의 덕을 톡톡히 보았다. 영어를 어떻게 배웠는지는 설명할 수 없지만, 성인이 되어 외국어를 이렇게 많이 배울 수 있는 여건을 가진 사람들이 많지 않으므로 내가 유용하게 여겼던 외국어 학습법을 좀 적어볼까 한다.

스페인 부대사로 발령이 난 후 대사관에서 일을 시작하기 전 5개월 동안 살라망카라는 작은 대학도시에서 살며 스페인어 개인교습을 받았다. 마드리드에서 공부를 했다면 대사관 직원들 도움도 받고 또 영어를 하는 사람들도 많이 만날 수 있었을 텐데 살라망카에서는 그 어떤 도움도 받을 수 없었다. 부딪치며 스페인어를 배워야 했다. 우스갯소리로 스페인어를 배우는 가장 빠른 방법은 잘생긴 스페인 남자친구를 사귀는 것이라고 했지만, 스페인 대사로 부임할 남편과 같이 있었으므로 아쉽게도(?) 다른 방법을 찾아야 했다. 그래도 생존을 위해 배우는 언어 공부는 잘 될 수밖에 없었다. 이사 간 첫날, 알람 시계에 넣을 배터리를 사야 하는데 어디서 사야 하는지 알 수가 없었다. 집 주변에 대형 슈퍼마켓은 찾을 수 없었고 대신 조그만 가게들이 즐비해 있어서 어느 가게에 들어가야 배터리를 살 수 있는 건지 알 수가 없었다. 그날 배운 몇 개 안 되는 스페인어 단어들과 손짓 발짓 눈치 코치로 겨우 배터리를 찾았는데 그게 그렇게 뿌듯할 수가 없었다. 동양 여자가 땀을 뻘뻘 흘리며 떠듬떠듬 스페인 단어들을 엮어 대화를 하려는 게 가상해서였는지 살라망카 사람들은 참을성 있게 내 얘기를 들어주고 내 엉망진창 스페인어를 고쳐주는 등 도움을 주었다. 이런 타인들의 친절함에 내 스페인어 실력은 쑥쑥 늘었고 나는 아직까지 살라망카에서 보낸 5개월을 소중한 추억으로 간직하고 있다.

다른 언어들과 마찬가지로 스페인어도 처음 6주 정도는 진도가 무척 빠르게 나갔다. 매일 쓰는 단어들과 표현들을 배웠기 때문에 외우기도 쉬웠고 레슨 후 연습할 기회도 많았다. 식당에서 주문을 하고 장을 보는데 어려움이 없어질 때쯤 진도는 느려졌다. 더 이상 다급하지 않아서였기도 했고 문법과 단어들이 어려워졌기 때문이기도 했다. 그리고 이 때쯤 되자 영어가 헛나오기 시작했다. 스페인어를 잘 하는 것도 아닌데 영어까지 못 하니 '도대체 내가 제대로 할 수 있는 언어가 하나라도 있는 걸까' 하는 자괴감이 들었다. 나중에 인도네시아어를 배울 때는 10년 전에 배웠던 스페인어가 자꾸 튀어나왔다. 아마 내 뇌 깊숙이 넣어두었던 외국어가 새로운 언어를 배우자 튀어나오는 것 같았다. 오죽하면 인도네시아 문법에 스페인어 단어를 넣어서 이야기를 하면서 왜 선생님이 내 얘기를 이해하지 못하시지, 갸우뚱거리기도 했다. 인도네시아어는 자카르타에서 9개월간 배웠는데 나중에 인도네시아어를 스페인어보다 잘 하게 되자 스페인어를 하려면 인도네시아어로 먼저 생각을 하고 그것을 스페인어로 번역해야 하는 웃지 못할 상황이 생겼다. 나만 그런 건지 여러 외국어를 배우는 사람들이 다 겪는 현상인지 궁금할 따름이다.

이미 여러 언어를 배운 경험이 있는 나는 처음에는 무조건 단어를 외워야 한다는 것을 알고 있었으므로 책상 앞에 착 붙어 앉아 스페인어 단어들을 외우고 또 외웠다. 레슨 후 매일 4-5시간 정도 공부를 했는데 숙제를 마칠 때쯤이면 밤 12시가 다 되어있는 날도 허다했다. 운 좋게도 그때 살라망카에는 대만 대통령 영어 통역을 하던 사람이 정권이 바뀌면서 도피 차(?) 스페인어를 배우러 와 있었다. 나랑 나이가 비슷해 우리는 금세 친구가 되었는데, 그 친구 말이 새 단어를 6번 이상 소리 내어 읽으면 그 단어가 내 것이 된다고 했다. 대통령 통역을 할 정도로 실력 좋은 사람의 조언이니 묻지 않고 따랐다. 소리를 내어 새 단어들을 읽으니 머리에도 잘 들어오고 발음교정에도 좋은 것 같았다. 나는 또 연관법을 많이 사용해서 단어들을 외웠다. 예를 들면, 스페인어로 anillo는 반지라는 단어인데 "아니요"라고 읽어서 나는 청혼을 거절하는 생각을 하며 이 단어를 외웠다. 또 있다. 인도네시아어로 aneh는 이상하다는 뜻인데 "아내"라고 읽어서 아내들은 다 이상하다 여기는 남편들을 생각하며 외웠다. 나는 또 새로운 단어들을 여기저기 적어 놓아서 자투리 시간에 단어들을 외우게끔 했다. 새로운 단어들을 적은 종이를 화장실 벽이랑 냉장고에 붙여놓아 볼일을 볼 때, 또 물이 끓기를 기다리면서 단어들을 외웠다. 조그만 수첩을 단어장으로 만들어서 수퍼마켓에서 기다리거나 식당에서 친구를 기다릴 때 한두 단어라도 더 외울 수 있게 했다.

교재 외에 내가 단어를 배우기 위해 가장 많이 본 건 신문이었다. 신문 기사는 우선 길이가 짧아서 부담이 없었다. 또 정확한 단어와 문법을 사용하므로 나 같은 외국인이 현지 언어 공부를 하기엔 안성맞춤이었다. 영어를 배울 때와 마찬가지로 모르는 단어를 무조건 사전에서 찾지 않고 같은 단어가 몇 번 나온 것부터 찾기 시작했더니 주요 단어들을 먼저 배울 수 있게 되었다. 또 신문은 가격도 저렴하고 정치, 경제, 사회, 스포츠, 연예 등 여러 가지 방면의 단어들을 배울 수 있어 좋았다. 대사관에서 일을 하기 전 몇 개월 동안 그 나라 신문을 매일매일 헤드라인이라도 훑어보니 그 나라의 주요 이슈들에 대해 미리 배울 수 있어 일석이조였다. 이런 노력 덕분인지 개인 레슨이 끝날 무렵에는 신문을 떠듬떠듬 읽고 주요내용을 파악할 수 있을 정도의 수준이 되었다.

문법에 대해서는 "왜"라는 질문을 하지 않고 규칙들과 예외 규칙들을 달달달 외웠다. 반면, 외국어를 처음 배우는 남편은 "왜, 왜, 왜?" 질문이 많았고 납득이 가지 않는 예외 규칙 앞에선 분통을 터뜨리곤 했다. 영어 역시 예외 규칙들이 많은데 뭘. 그래서인지 남편은 진도가 잘 나가지 않았고 개인 레슨이 끝날 무렵에는 남편 담당 선생님의 영어실력만 월등히 나아지는 웃지 못 할 상황이 벌어졌다. 그래도 스페인어는 영어와 단어들이 많이 비슷하고 또 문법은 불어와 비슷한 것이 많아서 다행이었다. 인도네시아어 역시 초반에는 문법이 복잡하지 않았다 (나중에 복잡해진다). 두 언어 다 기본 문법만 익히면 모르는 단어는 그냥 영어단어를 써도 웬만큼 소통이 되었다. 내가 못 알아듣는 말에 대해 "무슨 뜻인지 모르겠으니 다시 천천히 설명해 달라"고 말할 수준만 되면 우선은 생활하는데 큰 지장이 없는 걸 경험상 배웠으므로 그 수준에 오를 때까지는 문법을 외우고 또 외웠다.

스페인어와 인도네시아어 둘 다 하루에 4시간씩 개인교습을 받았는데 나는 매일 최소 2시간은 회화 위주로 공부를 했다. 아무리 문법을 잘 알고 단어를 많이 외워도 대화를 할 수 없다면 외국어를 배우는 아무 소용이 없다는 걸 알고 있었기 때문이었다. 나는 외향적인 성격이고 사람들을 좋아해서 수다를 떨면서 언어를 배우는 게 잘 맞기도 했다. 자카르타에서는 남자 선생님들과 여자 선생님들 여러 명한테 레슨을 받았다. 스페인어 선생님들은 다 여자였는데 그래서인지 남자들이 하는 스페인어는 더 알아듣기 힘들어했던 경험 때문이었다. 그리고 또 선생님들마다 쓰는 단어들, 문장들, 억양들이 조금씩 달랐고, 또 관심사들도 달랐기 때문에 가급적 많은 선생님들한테 레슨을 받는게 중요하다고 생각되었다. 어린 아이가 있던 선생님하고는 육아에 대해 얘기를 했고 싱글인 젊은 선생님하고는 이상형에 대해서 얘기를 했다. 소녀시대를 좋아하던 선생님과는 K-pop에 대해서 얘기를 했고, 경제에 관심이 많은 선생님하고는 인도네시아 재벌가 얘기들을 들었다. 이렇게 레슨을 받으니 재미도 있었고 회화 실력도 쑥쑥 늘었다.

회화에 많은 공을 들였음에도 불구하고 내가 배운 모든 외국어는 읽기-말하기-듣기 순으로 쉬웠으니 이것이 성인이 되어 배우는 외국어의 한계인가 싶었다. 아니면 내 활자 중독적인 성향 때문에 읽기가 제일 쉽게 느껴진 것일 수도 있겠다. 또 하나 느낀 것은 외국인과 일대일로 하는 대화는 그나마 쉬운데 그룹에서 자기네들끼리 하는 대화는 알아듣기가 힘들다는 거였다. 우선 말들이 너무 빨랐고 특히 인도네시아어는 Bahasa Gaul이라는 속어 및 줄임말을 많이 써서 거의 새 외국어를 배우는 것만 같았다. 서울에서 한국어를 배우던 한 외교관이 늘 존댓말만 배우다가 반말을 처음 접하고 이것은 새 외국어라며 분노했다던데 내 심정이 그랬다. 또 한 가지 어려움은 외국어 수준을 유지하는 것이다. 언어란 쓰지 않으면 퇴화하는 법. 나의 스페인어 수준이나 인도네시아어 수준은 개인레슨을 끝내고 일을 시작하기 바로 직전이 가장 높았다. 대사관에서 일을 시작한 후로는 거의 매일 영어로 일을 했기 때문에 스페인어나 인도네시아어 수준이 많이 떨어질 수밖에 없었고, 또 뉴질랜드로 돌아와 아이를 낳고 항암치료를 하는 등 정신없는 시간을 보내다 보니 그동안 한 공부가 아까울 정도로 스페인어와 인도네시아어 수준이 퇴화되었다. 그러나 10년간이나 쓰지 않던 스페인어가 인도네시아어를 배울 때 튀어 나왔듯이 내 머릿속 깊은 곳에 이 외국어들이 자리하고 있다고 믿는다.

외국어는 사춘기 전 어렸을 때 배워야 한다는 얘기를 많이 들었다. 그러나 나는 30대에 스페인어를, 40대에 인도네시아어를 배웠다. 완벽하지는 못하지만 신문을 읽고 고급 대화를 나눌 수 있는 수준에까지 이 두 외국어를 배웠다는 것에 자부심을 느낀다. 나중에 은퇴를 하고 시간이 좀 더 생기면 내가 배운 외국어들을 쓰는 나라들을 방문하면서 더 집중적으로 외국어 공부를 하고 싶다. 아무리 서툴러도 사람들은 자기 나라 말을 하려고 노력하는 사람들에게 더 후한 점수를 주곤 하니 외국어 공부를 하며 현지인 친구들을 더 사귀고 싶다. 또 하나 재미있는 것은 외국에도 한국과 비슷한 속담이 많이 있다는 것이다. 예를 들어, 인도네시아에는 "우물 안 개구리 (Katak di bawah tempurung)", "벼는 익을 수록 고개를 숙인다 (Padi semakin matang semakin merunduk)" 등의 속담이 있고, 스페인어에는 "고양이에게 생선을 맡기다 (Dejar a un gato cuidando una carniceria)", "눈에는 눈, 이에는 이 (Ojo por ojo, diente por diente)" 등의 속담이 있다. 이런 언어와 문화가 접목되는 부분에 대해서도 좀 더 공부를 하고 싶다. 치매 예방에도 외국어 공부가 좋다고 하지 않는가. 그러니 나이가 너무 들어서 외국어 배우기를 주저하시는 분들에게 용기를 내시라고 말하고 싶다. 늦었다고 생각할 때가 가장 빠르고, 오늘은 내 인생의 가장 젊은 날이니까.

노력하는 어린이

6－9 **박 시정 (1학기 전교어린이회 회장)**

6년. 그 짧지 않은 시간동안 수없이 교문을 드나들던 저는 꿈만 같던 국민학교 시절을 모두 보내고 졸업을 맞이하게 되었습니다.

아무것도 모르고 어리둥절한 모습으로 교문에 들어선 철부지였던 저는 여러 선생님들의 지도와 격려 덕분에 제법 철이 들었고 육학년 일학기에는 학생회장이라는 큰 임무를 맡게 되었습니다.

18년이란 짧은 역사를 가진 우리 학교는 훌륭하신 선생님들과 선배님들의 피땀어린 노력 덕택에 이젠 어느 학교 못지 않은 훌륭한 학교가 되었습니다. 이런분들의 노력이 헛되지 않도록 저와 여러 임원들은 열심히 활동하였습니다만 생각대로 잘 되지는 않았던 것 같습니다. 그래도 힘껏 노력했다는 점에서 보람을 느낄수 있 있었습니다.

학창시절이 하얀 종이라면 우리는 지금 그 종이에 자신의 모습을 아름다운 추억으로 그리는 화가라고 할 수 있습니다. 그 종이에 성심껏 노력하는 자신의 모습이 그려진다고 생각해 보십시오. 한층 더 의젓해진 모습이 그려진다면 어떠한 역경과 고난도 헤쳐나갈 수 있을 것이고 다른 사람보다 아름답고 깨끗한 학창시절의 추억을 남길 수 있을 것입니다.

후배 여러분!

'인내와 노력, 이 두가지만 있으면 세상에 못할일이 없다.'는 말이 있습니다. 여러분이 이러한 정신으로 생활하게 된다면 어떠한 일이라도 늘 성공하게 될 것입니다.

언제 어디서나 어떤 일이라도 굽히지 않고 끝까지 성심껏 노력하는 여의도 국민학교 어린이가 되어 훗날 나라의 큰 기둥이 될 것을 다짐해 봅니다.

27

한국어 기본이 잘 되어 있어야 외국어를 쉽게 배울 수 있다고 믿는다 / 1989년

06

분노와 감사

,

조직세포검사의 자세한 결과는 5일 후에야 나왔다. 다행히 유방암 중 가장 흔하다는 hormone-receptor positive, HER2-negative 로 결과가 나왔다. 암이 다른 데로 퍼지지도 않은 듯하고, 사이즈도 2cm로 작은 편이라고 했다. 생각했던 것 보다 좋은 결과였다. 암 진단을 받은 이후 처음으로 희망이 보이는 듯했다. 검사 결과가 나왔으니 치료방법 또한 좀 더 구체화되었다. 암 종류와 현재 진행상태를 봐서는 부분 절제 후 방사능 치료를 하는 게 좋을 듯하다는 게 의사의 의견이었다. 나는 검사결과를 기다리는 동안 유방암 진단을 받은 경험이 있는 친구들 몇몇과 이미 이야기를 한 상태여서 다른 친구들이 한 MRI scan은 하지 않아도 되냐고 물었고 의사는 꼭 할 필요는 없다고 했다. 조금 불안했다. 큰 수술이었기에, 또 암 수술이었기에 나는 수술 날짜를 받아놓고 다른 싱가포르 병원에 second opinion을 받으러 갔다. 처음 병원과는 다르게 두 번째 병원에는 사람들이 바글바글했다. 이 사람들이 다 암에 걸렸단 말인가? 대기실에 기다리고 있는 사람들 중에는 배액관을 양쪽으로 달고 온 사람들도 있었고 나보다 훨씬 젊어 보이는 사람들도 있었다. 의사 면담을 마치고 환한 얼굴로 나오면서 간호사와 하이파이브를 하는 젊은 환자를 부러운 눈으로 쳐다보는데 내 이름이 호명되었다.

충격스럽게도 두 번째 병원에서 한 초음파 검사에서는 암이 2cm 한 덩어리만 있는게 아니고, 그 주위로 작은 암 덩어리들이 넓게 퍼져있는 것으로 나왔다. 선생님이 초음파 화면에서 퍼진 곳을 보여줬는데 마치 공포 영화를 보는 것 같았다. 나는 너무 무서워서 선생님 손을 꼭 잡았다. 얼음장처럼 찬 손이었다. 몸이 덜덜 떨리기 시작했다. 나는 화면을 보며 "이게 무슨 뜻인가요?"하고 물었다. 선생님이 이럴 경우엔 부분 절제를 할 수 없고, 전체 절제를 해야 한다고 했다. 좀 더 확실하게 하기 위해 선생님은 그날 오후 MRI 검사를 받을 수 있게 조치해 주었고 그 결과는 초음파 검사와 마찬가지였다. 나는 또 다시 울음바다가 되었다. 끝도 없이 나쁜 소식이 이어지는 것만 같았다. MRI 검사결과는 금요일 날 나왔는데 수술은 그 다음 주 월요일로 잡혀 있었다. 이 상태로 부분 절제 수술을 받을 수는 없었다. 월요일 아침 담당의와 상의 후 수술은 목요일로 미뤄졌다. 담당의 또한 다른 병원에서 한 MRI 결과를 보더니 전체 절제를 하자고 하셨고 나도 그에 동의했다. 무섭고 속상했지만 수술 전에 second opinion을 받아 암이 퍼진 것을 알아냈고, 그래서 적절한 수술을 받을 수 있어 다행이란 생각이 들었다. 초음파 검사를 꼼꼼하게 하지 않고 또 내가 물어봤음에도 불구하고 MRI 검사를 안 해도 된다고 한 첫 번째 병원에서 수술을 받아야 하나 고민했지만 깔끔하게 실수를 인정하고 수술 날짜와 방법을 조정해주는 자상한 할아버지 담당의를 한 번 더 믿기로 했다.

이제 전체 절제를 해야 하니 유방재건술을 같이 할 거냐는 질문에 또 말이 턱 막혔다. 유방재건술도 여러 가지 종류가 있었다. 선생님이 가장 추천하는 건 배와 등에 있는 살을 끌어와서 유방을 재건하는 수술이었는데 그건 수술시간이 약 12시간 걸린다고 했다. 그냥 전체 절제 수술만 하면 약 2시간 정도 걸린다고 하니 수술시간이 상당히 길어지는 거였고, 그만큼 위험도도 높아지는 거였다. 그때 당시 운동을 많이 해 뱃살이 거의 없었는데, 그렇기 때문에 등에 있는 살까지 끌어와야 한다고 했다. 뱃살 빼기가 제일 힘들어서 고생고생 했는데 개똥도 약에 쓰려면 없다더니 뱃살도 정작 유방 재건할 때 쓰려니 없다니, 그동안 운동을 열심히 한 게 갑자기 후회가 되었다. 실리콘을 넣는 재건술은 시간이 좀 덜 걸리지만 덜 자연스럽고 나중에 재수술을 해야 할 가능성도 더 높다고 했다. 실리콘 종류도 여러 가지여서 이것저것 만져봤는데 물컹물컹 느낌도 이상하고 어떤 게 더 좋은 건지 알 수가 없었다. 가격도 천차만별 이었다. 전체 절제를 해야 한다는 소식을 들은 지 얼마 되지도 않았는데 재건에 대한 결정을 내려야 한다니. 나는 또 다시 인터넷을 뒤지기 시작했다. 재건술에 대해 읽고, 후기도 읽고, 전체 절제를 한 가슴들의 사진도 보고, 또 몇 년 일찍 전체 절제를 한 친구와 통화도 했다. 나는 평소에 어떤 결정이든 쉽고 명확하게 내린다. 그래서 결정 장애는 거의 겪지 않는 성격이었는데, 이번엔 마음이 갈팡질팡했다. 한편으로는 가장 빠르고 안전하고 간단한 수술을 하고 싶었고 또 한편으로는 어차피 수술하고 고생할 거 하는 김에 재건까지 다 하는 게 낫지 않을까 하는 생각이 들었다. 내 가슴은 작았고 그렇기 때문에 한번도 가슴이 나의 여성성에 지대한 영향을 끼친다고 생각한 적은 없었으나, 갑자기 가슴을 도려내야 한다고 하니 가슴을 재건하는 일이 이 세상에서 가장 중요한 일처럼 여겨졌다. 그러다 그날 새벽, 잠에서 깨어나자 생각이 좀 더 확실해졌다. 나에게 중요한 사람들 중 나의 가슴 때문에 나를 좋아하는 사람이 몇 명이나 있을까? 답은 0명이었다. 그러자 모든 것이 단번에 명료해졌고, 나는 재건술 없이 전체 절제를 하겠다고 말했다.

암 진단을 받고도 오클랜드에 계신 엄마한테는 아무 얘기도 안 하고 있었다. 엄마는 원래 걱정이 좀 많은 편이었기 때문에 검사 결과와 치료방법이 다 나온 후 얘기를 드리는 게 나을 것 같다는 게 언니와 나의 생각이었다. 11살 제이미 역시 할머니는 모르시는 게 좋을 것 같다고 의젓하게 말했다. 그런데 이 무렵 엄마는 하루에 몇 번씩 언니와 나에게 연락을 해서 잘 지내냐고 별일 없냐고 물어보셨다. 아마 부모님들이 가지고 있는 육감이 발동된 듯했다. 가뜩이나 암 진단 후 스트레스를 많이 받고 있는데 엄마한테 계속 거짓말을 하는 것 또한 스트레스였다. 검사 결과가 나온 후 오클랜드에 살고 있는 막내 외삼촌에게 전화를 걸어 저녁에 엄마와 같이 있어달라고 부탁했다. 혹시라도 엄마가 놀라서 쓰러지시기라도 하면 옆에 누가 있는 게 좋을 듯해서였다. "엄마, 놀라지 말고 들어요." 이렇게 시작하는 전화를 반길 부모는 없다. 다행히 엄마는 생각 외로 많이 놀라지 않으셨는데 주변에 유방암 진단을 받은 분들이 몇 명 있고, 또 그분들이 치료받고 잘 지내고 계신 걸 봐서 그런 것 같았다. 엄마는 싱가포르로 오시겠다고 하셨지만 우리는 극구 말렸다. 코비드 때문에 아직 국제 여행이 복잡하기도 했고 또 엄마가 싱가포르로 오시면 언니가 나 외에 엄마까지 돌봐드려야 했기 때문이었다. 이미 내 병수발에 언니는 지쳐있었다. 큰 수술 때 옆에 못 있어 미안하다던 엄마는 나중에 내가 웰링턴에서 화학요법을 받을 때 오셔서 몇 달간 음식도 해 주시고 돌보아 주셨다.

우리를 두렵게 하는 것은 "알 수 없는 것, 통제할 수 없는 것, 특이한 것"이라고 했는데[4] 암은 이 세 가지 모두에 해당했다.

---

4 레온 빈트샤이트, "감정이라는 세계".

두렵기도 했지만 무엇보다 억울했다. 나는 그동안 정말 열심히 살았는데. 공부도 엄청 많이 하고, 일도 남들보다 더 열심히 하고, 매일 하루하루 알차게 보내려고 항상 노력했는데. 나는 아직 하고 싶은 것도, 해야 할 일도 많은 사람인데. 또다시 화가 치밀어 올랐다. 나는 운동도 매일 열심히 하고, 몸에 좋은 음식들도 챙겨 먹고, 먹고 싶은 단 음식, 기름진 음식 등은 꾹 참고 안 먹었는데. 나는 담배도 안 피우고, 마약도 안 하고, 술도 많이 안 마셨는데. 나보다 훨씬 더 엉망으로 사는 사람들도 다들 잘 살고 있는데. 여기까지 생각이 미치자 분노가 솟구쳤다. 오진을 한 싱가포르의 병원에, 자카르타로 발령을 보낸 회사에, 이 힘든 일을 혼자 겪게 한 코비드에, 건강한 이 세상 모든 사람들에게. 외교관이 되기 전, 나는 소송 담당 변호사(litigator)였다. 불의를 보면 못 참았고 말싸움을 하면 거의 진 적이 없었다. 뉴질랜드로 이민을 가지 않았다면, 또 10여 년 일찍 태어났더라면, 대학 가서 빨간 띠 머리에 두르고 제일 앞줄에서 데모를 주동했을 그런 성격이었다. 그런 나에게 이렇게 '부당한' 일이 일어나니 세상을 상대로 소송을 걸고 싶었다. 분노로 하루하루를 보내던 중, 책에서 한 구절을 만났다. "시련에 대처하는 방식이 삶의 모습을 결정한다".[5] 지금 나의 삶은 어떤 모습인가? 억울함과 분노로 가득한 삶을 살 것인가, 아니면 나의 에너지를 몸을 추스르고 앞으로의 내 삶을 더 알차게

---

[5] 류시화, "새는 날아가면서 뒤돌아보지 않는다".

살아가는데 써야 할 것인가. 답은 쉽게 나왔다. 삶의 유한함을 온몸으로 느끼게 해준 암 진단 앞에서 스스로에 대한 연민과 세상에 대한 분노로 내 소중한 시간을 낭비하고 싶지 않았다. "용서는 겉으로는 다른 사람을 놓아주는 것이지만, 사실은 나 자신을 불행에서 구해내는 과정이다."라고 말한 고든 리빙스턴 박사의 말처럼[6], 나는 나 자신과 분노를 유발하는 모든 것들을 용서함으로써 나 자신을 불행에서 구해내고 싶었다.

이렇게 마음을 먹고 감사할 일들에 초점을 맞추기 시작했다. 물론 처음에 암 진단을 받았을 때는 감사한 마음이 전혀 들지 않았다. 감사는커녕 욕만 나왔다. 그러나 조금 시간이 지나고 검사결과가 나오고 치료 계획이 세워지면서 감사할 일들이 너무나도 많다는 것을 깨닫게 되었다. 우선 우연히 암을 일찍 발견한 것에 감사했다. 정기 검진도 아니고, 몸이 아파서도 아니고, 우연히 휴가지에서 암을 발견한 건 정말 행운이었다. 타이밍 역시 운이 좋았다. 코비드로 막혔던 하늘길이 열리고 싱가포르 입국 시 자가 격리가 없어진 지 한달 정도밖에 되지 않은 시점이었다. 싱가포르에 도착하자마자 의사를 만날 수 있었던 것도 너무 다행이었고, 또 내 담당 의사가 그 병원 외과 과장이었던 실력 있는 분인 것도 다행이었다. 또 있다. 싱가포르에서

---

6 고든 리빙스턴, "너무 일찍 나이 들어버린, 너무 늦게 깨달아버린".

는 모든 검사가 일사천리로 진행되어 거의 매일 필요한 모든 검사를 할 수 있었고 수술도 암 진단 후 2주 만에 받을 수 있었다. 만일 뉴질랜드였다면 2-3달이 더 걸릴 수도 있는 일이었다. 인터넷이 있어서, 또 주변에 유방암 진단을 받은 친구들이 있어서, 궁금한 걸 물어보고 second opinion도 받을 수 있어 다행이었다. 언니가 싱가포르에 살지 않았다면, 형부가 깐깐한 성격이었다면, 아니면 언니에게 손 많이 가는 애들이 있었다면 언니 집에 머무를 수 없었을 테고, 만약 그랬다면 싱가포르에서 수술을 받는 결정이 쉽지 않을 수도 있었다. "감사하자, 감사하자…." 그렇게 감사할 일에 집중하기 시작했고 그러자 하루하루를 버티는 게 조금 수월해졌다.

07

이민자의 정체성

영어를 웬만큼 배우고도 뉴질랜드 생활에 적응하기란 결코 쉽지 않았다. 문화, 환경 등이 한국과는 너무 달랐기 때문이었다. 예를 들어, 뉴질랜드의 고등학교 학생들은 대부분 방과 후에 아르바이트를 했다. 사립학교를 다니는 부유층 자녀들은 안 그럴지 몰라도 최소한 우리 학교 학생들은 대부분 아르바이트를 했다. 학생 때는 공부에 전념해야 한다고 굳게 믿는 부모님 덕분에, 그리고 농구와 피아노, 첼로 등으로 방과 후에도 늘 바빴던 나는 정기적으로 아르바이트를 하진 않았다. 방학 때 심심해서 뒹굴거릴 때 가끔씩 며칠간 일했던 것이 전부다. 친구들이 일하는 것이 부럽진 않았지만 문제는 거의 모든 아이들이 저녁 늦은 시간까지 일을 했기 때문에 학교 친구들이 자주 가는 파티는 거의 밤 9-10시에 시작된다는 것이었다.

파티는 거의 매주 있었는데, 장소는 주로 부모님이 여행가셔서 빈집을 지키게 된 친구들 집이었다. 뉴질랜드에서는 14살 이하의 어린이는 집에 혼자 둘 수가 없는데 그렇기 때문에 아이들이 14살이 되면 해방된 민족인 듯 아이들을 놔두고 부부끼리만 여행을 가는 집들이 많아서 파티 장소는 항상 있었다. 사춘기의 호르몬 분비가 왕성한 아이들이 모여 술과 담배와 마약과 섹스가 난무하는 파티였다. 이렇게 밤늦게 시작해서 새벽녘에 끝나는 파티에 곱게 키운 딸들을 보내도 되는 걸까. 부모님은 이 문제를 놓고 몇 날 며칠을 다투셨다고 한다. 결국, "뉴질랜드에서 살아남으려면 뉴질랜드 아이들과 어울리고 그들과 같이 사는 법을 배워야 한다"고 주장한 엄마의 승리로 우리는 파티에 가도 된다는 허락을 받았다. 물론, 부모님은 설마설마 걱정을 하시면서도 파티에서 어떤 일이 벌어지고 있는지는 정확히 모르셨다. 만약 아셨다면 절-대-로 못 가게 하셨을 테니까.

돌이켜 생각해 보면 고등학교 때 파티에 다니지 않았다면 나중에 뉴질랜드에서 사회생활을 할 때 꼭 필요한 여러 가지 스킬들을 배우지 못했을 것 같다. 그 중 하나가 'small talk'를 하는 것이다. 뉴질랜드에서 살면서 해야 하는 일 중 하나는 생판 모르는 사람과 대화를 이어가는 것이다. 뭐 어느 사회에서나 사교성이 좋은 게 유리하겠지만 내 경험에 따르면 한국에서는 친구나 지인의 소개로 사람들을 만나는 경우가 대부분이다. 즉 처음 만나는 사람과도 '사돈의 팔촌'이라는 공통사가 있는 경우가 많다는 것이다. 하지만 뉴질랜드에서는 정말 생판 모르고 아무 공통사도 없는 사람들과 말을 터야 하는 경우가 많이 있다. 특히, 나중에 외교관이 되어 외교 행사에 가면 늘상 해야 하는 일이 모르는 사람과 말을 트는 것이었다. 이 중요한 스킬을 고등학교 때 파티에 다니면서 익히게 되었는데 파티에는 우리 학교 학생들이 아닌 다른 학교 학생들도 득실득실거렸기 때문이었다. 어렸을 때라 뭐 특별히 힘들이지 않고 모르는 사람과 별로 뜻깊지 않은, 흔히 말하는 날씨에 대한 얘기를 하는 법을 배우게 되었는데 이것의 중요성은 나중에 한국계 변호사 선배가 "매일매일 해야 하는 그 의미 없는 small talk에 질려서" 뉴질랜드를 떠나 한국 변호사 사무실에 취직하면서 알게 되었다. 나에게는 너무나 익숙하고 당연한 small talk가 한국에서 자라 술잔을 기울이며 서로의 깊은 속을 알아가는 '한국적인' 사교 생활에 익숙한 선배에게는 뉴질랜드를 떠나고 싶을 만큼 고역이었다는 사실을.

또 하나 배운 중요한 스킬은 남들에게 휩쓸리지 않고 내 입장을 고수하는 일의 중요성이었다. 친구들과 어울리는 것이 가장 중요한 나이인 사춘기에 '남들 다 하는' 섹스와 마약의 유혹을 이기는 건 쉽지 않은 일이었다. 학교에서 소위 '잘 나가는' 아이들은 대부분 여기에 통달을 한 아이들이었고 그 아이들과 어울리기 위해 하기 싫어도 억지로 남자애들과 방으로 들어가는, 그리고 그 후에 많이 후회하는 친구들이 주변에 수두룩했다. 특히, 동양인으로서 더 이상 튀기 싫었던, 제발 백인 애들과 비슷해지기를 갈망했던 내가 그들과 똑같이 행동하고 싶었음은 더할 나위 없었다. 그럼에도 불구하고 그 유혹을 이겨낼 수 있었던 건 나중에 '훌륭한 사람'이 되는 데 걸림돌이 될 일은 하지 않아야겠다는 굳은 의지였다. 술을 마시거나 마약을 하면 운전을 할 수 없어 그 다음 날 차를 픽업하러 가야 했는데 그런 번거로움도 싫었다. 마약이나 섹스 같은 것에 대한 호기심보단 두려움이 더 컸기 때문이기도 했다. 처음에는 이런 나를 겁쟁이라 놀리던 아이들도 점차 나의 이런 태도를 존중하게 되었고, 나중에는 파티에서 술에 취하지 않는 내가 집에 데려가 줄 것을 믿고 술을 마시는 친구들도 생겼다.

이처럼 고등학교 때의 경험을 통해 나는 '고지식하다'는 게 꼭 나쁜 것은 아니라는 것을 알게 되었고 또 그 후에도 내가 생각하기에 좋지 않은 일들, 예컨대 '훌륭한 사람'이 되는데 걸림돌이 될 일들은 절대로 하지 않았다. 그중 하나가 음주운전이었는데 경찰 단속에 걸리면 변호사가 될 수 없을지도 모른다고 법대 교수가 겁을 준 탓도 있었지만 내가 음주운전을 함으로써 남에게 끼칠 수 있는 피해를 생각하면 절대 운전대를 잡을 수 없었다. 대학교 때 술에 잔뜩 취했음에도 불구하고 운전을 하겠다고 고집을 피우는 한국친구들은 주먹다짐을 해서라도 말렸고, 이런 나의 성정을 안 친구들은 으레 내가 나오는 자리엔 차를 가지고 나오지 않았다. 다행히 나는 언니와 사이가 좋아서 하루에 한 명씩 번갈아 가며 술을 마셨고, 술을 마시지 않은 다른 한 사람이 운전을 해서 집에 오곤 했다. 한국에서는 자매가 같이 나이트에 가고 술집에 가는 것을 상상하기 힘들겠지만, 워낙 좁은 한인사회에서 언니 친구 내 친구 다 같은 나이 또래였기 때문에 우리는 늘 같이 몰려다녔고, 그 덕에 후회 할 일들을 많이 저지르지는 않았던 것 같다. 술집 주인들도 대부분 우리 부모님을 알고 계셨기 때문에 좀 난폭한 친구들도 우리 자매를 건드리지 않았다. 한인사회가 워낙 좁고 말이 많아 이런 것들이 갑갑하기도 했지만 돌이켜 생각해보면 그 덕분에 무사히 대학도 졸업하지 않았나 싶다.

뉴질랜드에서 생활한 지 약 1년이 지나자 영어로 의사소통도 제법 되었고 뉴질랜드 현지 친구들도 하나 둘 생기기 시작했다. 영어를 못 하고 성적이 잘 못 나오는 것보다 친구가 없는 게 가장 큰 불만이었던 나는 현지 친구들이 생기기 시작하면서 학교생활에 재미를 붙였다. 그때 우리 고등학교에는 한국학생들이 많지 않았고 대부분 나보다 나이가 좀 많은 언니 오빠들이었다. 그래서인지 자연스럽게 한국 사람들하곤 놀지 않게 되었다. 한국 사람들뿐 아니라 다른 동양인 친구들하고도 놀지 않았다. 한국 노래도 듣지 않고 한국 비디오도 안 봤다. 백인 친구들이 듣는 노래를 듣고 그네들처럼 행동했다. 나는 다른 동양인들과는 달리 특별한 사람이다, 나는 여기 현지인이다라는 착각에 빠질 즈음 오클랜드 대학교에 입학했다. 그랬더니 웬걸, 아무도 나를 알아주지 않았다! 나를 그저 많은 동양

학생 중 한 명으로 취급하는 거였다. 그제서야 난 깨달았다. '아, 내가 아무리 발버둥을 쳐도 나는 어쩔 수 없는 동양인이구나. 현지인과 다른 이민자구나. 나의 뿌리를 부정할 순 없구나.' 이때의 깨달음이 나중에 내 박사학위 논문 주제를 정하는 데도 도움이 되었다. "뉴질랜드 동양인들의 정치참여도"에 대한 논문이었는데 뉴질랜드 동양인 개개인은 각기 다른 정체성을 느낄 수 있어도 뉴질랜드 사회가 그들을 한 집단으로 보는 한 '동양인'에 관한 연구가 가능하고 또 중요하다는 전제로 쓰인 논문이었다. 나의 경우도 그랬다. 나는 영어를 능숙하게 하고 백인 친구들도 많은 한국인이지만 대부분 뉴질랜드인들의 눈에는 엊그제 뉴질랜드에 도착해 영어 한 마디 못하는 중국인과 내가 딱히 다를 바 없는 다 같은 '동양인'이었다. 그렇기 때문에 다른 동양인들과 교류하며 뉴질랜드 사회에서 '동양인'에 대한 인식이 나아지도록 함께 노력하는 것이 내 개인적인 이익에도 부합한다는 걸 깨닫게 되었다. 이렇게 나는 서서히 나의 정체성의 혼란기를 벗어나고 있었다.

뒤늦게 깨달음을 얻은 나는 대학교 한인학생회에서 주관하는 신입생 환영회에 참석하기로 했다. 아, 이렇게 재미있을 수가! 쭈뼛쭈뼛 신입생 환영회에 발을 들여놓은 지 약 두어 시간, 나는 한국사람들과 노는 것이 너무 재미있어 정신이 없었다. 우선, 내가 더 이상 튀지 않고 다른 사람들 속에 '스며들 수 있는 것'이 참 좋았다. 내 것, 네 것, 구분을 딱딱 하는 백인 친구들과는 달리 서로 챙겨주고 모든 것이 '우리 것'인 분위기도 좋았다. 어느 소설책에서 읽었던 것처럼 "서로의 간격이 바짝 붙어 있는[7]" 한국 특유의 술자리가 좋았다. 나는 원래 음주가무를 즐기는 편이었는데 신입생 환영회는 이런 나에게 최적화된 장소였다. 이렇게 재미있고 편한 사람들하고 왜 여태 안 놀았을까, 후회가 막심했다. 고등학교를 한 학년 일찍 들어간 나는 신입생들 중 가장 어린 편에 속했다 (모두들 내가 공부를 잘 해 월반한 줄 알지만 사실은 생일이 3월이라 4월달에 들어간 고등학교에서 한 학년 높여 넣어준 것뿐이다). 어린애가 까불까불 말도 잘 한다고 언니오빠들이 예뻐해줬다. 그 후 나는 한국친구들과 노래방 가랴, 당구장 가랴, 나이트 가랴…. 마치 놀기 위해 태어난 사람 같은 시간들을 보냈다. 그때 내가 매일같이 만나던 친구들 중에는 내가 법대생이란 걸 1년 후에나 알아차린 사람이 있을 정도였다.

매일 밤 늦게까지 술 마시고 놀러 다니는 딸들이 걱정될 만도 하건만, 부모님은 아무 말씀 안 하셨다. 나가 노는 건 좋으니 밤 12시까지는 들어오라고 하셨다. 한창 흥이 날 때 집에 가기 아쉬웠지만 부모님과 약속한 대로 12시 땡 치면 집에 꼬박꼬

---

7 김지혜, "책들의 부엌".

박 들어갔다. 이런 우리를 보고 사람들은 신데렐라라고 불렀다. 정신없이 놀다가 집에 들어가면 책상 앞에 앉았다. 법대 숙제는 양도 많았고 어렵기도 해서 매일 새벽 늦게까지 공부해야 했다. 그때는 정말 힘이 넘쳐났는데 고등학교 때 축적해 놓은 20kg와 매일 열심히 한 운동들이 도움이 된 듯하다. 그래도 4-5시간만 자고 버티는 것은 무리였는지 살이 쭉쭉 빠지기 시작했다. 살에 눌려 없어졌던 쌍꺼풀도 다시 생겼는데 덕분에 나는 한동안 쌍꺼풀 수술했다는 루머에 시달렸다. 신데렐라 노릇 하길 1년, 다음 해부턴 좀 더 늦게 들어가도 부모님이 아무 말씀 안 하셨다. 우리를 좀 더 믿으셔서였을까? 그렇게 열심히 놀고도 떡 하니 그 어렵다는 법대 2학년에 올라갔으니 부모님도 할말 없으신 듯했다.

허나, 모름지기 노는 것도 다 때가 있는 법. 대학 입학 후 2-3년 미친듯이 놀고 나니 노는 것이 시큰둥해지기 시작했다. 노래방도 지겨워지고 나이트에 가도 그저 그랬다. 체력도 달리기 시작했다. 나중에는 엄마가 주말인데 좀 나가지 그러니, 쫓아내려 해도 기필코 방구석에 붙어있었다. 집에서 책보고 빈둥대는 게 더 재미있어서였다. 그런데 남들 놀 때 부모님 눈치 보느라 놀지 못했던 친구들은 나중에 나이 들어 더 정신 못 차리고 놀았다. 어차피 한번 해봐야 되는 것을. 주변에 자녀들이 놀러 나가는 것을 못마땅하게 여기시는 보수적이고 엄하신 한국

부모님들이 꽤 있었는데 그분들은 종종 이렇게 말씀하셨다. “아이구 우리 집 귀한 딸을 그렇게 놀리면 안 되지. 우리가 그래도 뼈대 있는 집안인데.” 아니, 뭐 우리 집은 내가 별로 안 귀한 콩가루 집안의 딸이라 그렇게 내보냈나? 내 경험상 부모님이 자녀를 믿고 내보내면 그 믿음을 저버리지 않기 위해서라도 자녀들은 바르게 살려고 노력한다. 법대 4학년 때 오클랜드 대학교 한인 학생회장을 하면서 주변에서 ‘사고’를 일으키는 아이들을 많이 봤는데 그 중 상당수가 엄한 집 자녀들이라는 것을 보아도 알 수 있다. 조금 불안하더라도 아이들을 내보내고 스스로 해야 할 일과 하지 말아야 할 일을 깨닫게 하는 것이 더 중요하다고 나는 생각한다. 설사 그 과정에서 상처를 입고 아픔을 겪을지언정.

내가 주한 뉴질랜드 대사관에서 근무할 때만 해도 한국계 동포들이 외국에서 잘 되는 걸 자랑스럽게 여기는 분위기였다. 신문에 내 기사가 났을 적에도 응원하는 댓글이 압도적으로 많았다. 그런데 요즘엔 한국계 2,3세가 어느 분야에서 성공해서 매스컴에 나면 댓글 분위기가 긍정적이지만은 않은 것 같다. 검은 머리 외국인이 성공한 얘기를 해서 뭐 하냐고. 그런 입장을 이해 못 하는 것은 아니지만 어쩔 수 없이 조금 서운하다. 부모님 손 잡고 한국을 떠난 나 같은 1.5세대 이민자들은 선택지가 없었다. 소수민족으로 차별 받고 정체성 혼란을 겪으면서도 우리가 할 수 있는 최선을 다해서 현지사회에서 성공하려 노력하는 수밖에 없었다. 외국에 살면 애국자가 된다는 말이 있듯이 나의 말과 행동거지가 한국을 잘 모르는 사람들에게는 한국을 대표할 수도 있다는 부담감에 더 열심히 살았던 것 같다. 태어난 땅이 아닌 곳에서 사는 것은 쉬운 일이 아니다. 밖에서 보기엔 현지사회에 뿌리내리고 잘 살고 있는 듯 보여도 나이가 들수록 점점 더 한국스러운 것을 찾게 되는 것은 비단 나뿐만은 아닐 것이다. 음식도 점점 한국음식을 더 찾고 책들도 한국 책들을 더 많이 읽게 된다. 심지어 영어 책들도 한국말로 번역된 책들을 찾아 읽는다. 그리고 한국친구들이 더 편하고 살갑게 느껴진다. 한국에 대한 좋은 뉴스를 접하면 뿌듯하고 또 반대로 나쁜 뉴스를 접하면 마치 내 잘못인 양 속상하고 부끄러워진다. 30년 넘게 외국생활을 하면서 한국의 높아진 위상을 온몸으로 느끼는 요즘이다. 이민자인 내가, 또 혼혈인 내 아이가 한국을 자랑스럽게 여기듯, 우리도 한국이 자랑스러워하는 그런 사람들이 될 수 있기를. 그리고 나와 같이 정체성 혼란을 겪으면서도 각자의 자리에서 최선을 다하는 이민자들을 모두 보듬어 줄 수 있는 한국이 되기를 기대해본다.

고등학교 때 농구부에서 활동 / 1994년

고등학교 때 사모안클럽에서 활동 / 1993년

08

항상 건강했던 나는 수술을 해본 적도, 전신마취를 해본 적도 없었다. 의사는 간단하고 짧은 수술이라고, 자기가 기백 번도 더 해봤던 수술이라고 걱정하지 말라고 했으나 수술에 대한 자세한 설명을 들은 나는 걱정을 안 할 수가 없었다. 수술 중 왼쪽 가슴을 도려내고 림프절을 한 개 떼어내 암이 퍼졌는지 그 자리에서 검사를 한 후 퍼졌으면 나머지 림프절을 다 떼어내야 한다고 했다. 문제는 수술할 때 하는 검사는 정확한 검사가 아니라서 이때 떼어낸 림프절은 다시 정밀검사를 하는 곳으로 보내지는데 이 검사결과가 5일이 걸린다고 했다. 자주는 아니지만 가끔 깨끗하다고 여겼던 림프절에서 정밀검사 때 암이 발견돼 재수술을 해야 하는 경우가 있다고 했다. 세상에나, 그럼 수술 후 검사결과가 나오는 5일 동안 어떻게 살라는 말인가? "그럼 재수술을 피하기 위해 림프절을 그냥 다 떼어내면 안될까요?"라고 물어봤더니 림프절은 팔을 보호하는 중요한 역할을 하므로 암이 퍼지지 않았으면 떼어내지 않는 것이 좋다고 했다. 수술을 두 번 할 수도 있다니… 허들을 하나 넘으면 그 앞에 또 허들이 있는 것 같았다. 이 와중에 병원에서 연락이 와서 수술 당일 날 아침 PCR test를 해야 한다고 했다. 만약 코비드에 걸린 것이라면 수술 날짜가 미뤄질 것이라고 했다. 그 전화를 받은 직후부터 목이 따끔따끔 아파오기 시작했다. 정말 유리멘탈이었다.

긴장을 풀러 언니 아파트 단지 내로 산책을 하러 나갔지만 마음은 쉬 가라앉지 않았다. 그때 같은 아파트 단지에 사는 언니 친구가 산책 나온 것이 보였다. 그 사람은 9년 전에 후두암에 걸렸던 경험이 있다고 했다. 많은 복 중에서 나는 인복이 좋다고 항상 생각했는데 이번에도 예외는 아니었다. 꼭 필요한 사람이 꼭 필요한 시기에 꼭 필요한 장소에 있었다. 언니의 친구는 당장 코앞에 닥친 수술에 대한 나의 걱정을 이해해주었고, 자기 또한 가상 코비드에 몇 번 걸렸었다고 말해주었고, 수술 후에 닥칠 수 있는 여러 가지 변수들에 대한 내 두서 없는 생각들을 참을성 있게 들어주었다. 조용한 성격의 그 사람은 나를 가르치려 들지 않았고 나의 걱정을 무시하지 않았고 무조건 힘내라고 말해주지도 않았다. 그저 내 얘기를 주의 깊게 들어주었고 내가 내 생각들을 정리할 수 있게 도와주었다. 그리고 언제든지 얘기할 사람이 필요하면 연락하라고 연락처를 주었다. 고마웠다. 수술 후에도, 뉴질랜드에 돌아온 후에도, 이 사람은 종종 문자로 연락을 해서 내 안부를 물어주었다. 연말에 감사해야 할 사람이 또 하나 늘은 거였다.

다행히 PCR test는 네거티브로 나왔고 수술은 예정대로 진행되었다. 1인용 병실은 호텔방처럼 깨끗했고 간호사들은 친절했지만 모든 것이 내 통제 밖에 있었고 나는 그것이 불안했다. 하늘색 수술가운으로 갈아입고 이동식 병원 침대에 실려 수술 대기실로 들어갔다. 언니가 엘리베이터까지 와 주었고 기념사진(?)도 찍어주었다. 수술 경험이 있는 언니는 마취 전에 울면 일어났을 때도 그 기분이 지속되어 힘드니까 울지 말고 꿋꿋이 버티라고 했다. 수술 대기실은 추웠고 부산했으며 여러 명의 사람들이 와서 사무적인 말투로 같은 질문들을 해댔다. 내 이름, 생년월일, 내가 오늘 수술받는 부위 등등 기본적인 질문들이었지만 그래도 꼼꼼히 확인하는 것이 무척 마음에 들었다. 안절부절 불안하게 누워있는데 내 담당의가 초록색 수술복을 입은 채로 나에게 다가왔다. 아는 사람을 보자 너무나 반가웠다. 너무 추워서인지 긴장해서인지 몸이 덜덜 떨렸는데 수술실에 들어가 수술대 위에 누웠더니 다행히 수술대 바닥이 전기장판을 틀어놓은 것처럼 따뜻했다. 아마 나같이 긴장과 추위로 덜덜 떠는 환자들이 많았나 보다. 담당의 곁에 있는 5-6명의 의료진들이 바쁜 와중에도 다들 친절하게 인사를 해주고 내가 긴장을 풀 수 있도록 가벼운 농담들을 해 주어 고마웠다. 수술복을 열어 가슴을 드러내자 선생님은 싸인펜으로 내 왼쪽 가슴에 그림을 그리기 시작했고 그때서야 이제 다시는 내 왼쪽 가슴을 볼 수 없다는 생각이 뇌리를 스쳤다. 선생님의 손이 너무 차가웠는데, 손이 곱아 수술할 때 실수하면 어떻게 하나 걱정이 될 정도였다. 내 불안한 눈을 본 선생님은 마음 편하게 가지라며 자기가 좋아하는 한국인 피아니스트의 곡을 틀어주겠다고 했고, 나는 그런 작은 배려가 고마웠다. 이루마의 감미로운 피아노 선율을 들으며 곧 잠이 들었다. 그리고 눈을 떴을 때 암덩어리는 내 왼쪽 가슴과 함께 잘려나가 있었다.

수술 직후, 아직 마취가 덜 깼는지 고통은 없었다. 나는 옆에 있는 간호사에게 물었다. "림프절은 어때요?" 간호사는 깨끗했다고 했다. 나중에 언니가 마취에서 깨자마자 림프절에 대해 물을 정신이 있었냐며 웃었다. 아마 림프절 걱정을 하며 마취에 들어서 깨자마자 그 생각이 난 것 같았다. 암이 퍼지지 않았다는 사실에 감사했다. 수술실 밖으로 이동침대에 실려 나오자 기다리고 있던 언니의 얼굴이 보였다. 병실로 돌아오자 언니는 가족과 친구들에게 내 수술경과를 보고하느라 바빴다. 수술 전 금식을 했던지라 배가 고팠고 미리 주문해 두었던 죽이 저녁으로 나왔다. 마취에서 깨자마자 밥을 찾는 나를 보고 언니는 또 웃었고 내 왕성한 식욕을 잘 아는 친구들도 밥 찾는 것 보니 괜찮은 것 같다고 메시지들을 보내주었다. 가족들에게 연락한 후 나는 동료들에게도 수술이 잘 끝났다고, 걱정해줘서 고맙다고 이메일을 보냈다. 한참 이메일을 보내고 있는데 담당의가 간호사와 함께 병실로 들어와서 벌써 일을 다시 시작했냐며 웃었다. 수술부위에는 배액관이 2개 달려 있었고 압박붕대 두 개가 칭칭 감겨 있었다. 담당의는 배액관과 압박붕대 관리법을 알려주고 돌아갔고 언니도 저녁이 되자 집으로 돌아갔다. 혼자 남겨지고 수술이 무사히 끝났다는 생각에 안심이 되어서인지 잠이 쏟아졌다. 저녁을 먹자마자 침대에 눕고 싶었는데 주렁주렁 달려있는 배액관이 아직 익숙하지 않아 몸을 움직이는 게 힘들었다. 병원용 침대라 다행이다 생각하며 '2박3일 입원 뒤에 언니 집에 돌아가면 어떻게 침대에서 눕고 일어나야 하나' 하고 미리 걱정하며 깊은 잠에 빠져들었다.

"나는 이렇게 건강하고 운동도 많이 하고 가족력도 없고 기저질환도 없는데 왜 암에 걸린 건가요?" 처음 암 진단을 받고 항의하듯 내가 물었다. "왜 암에 걸렸는지는 알 수 없지만 건강하다면 회복은 빠를 겁니다." 담당의의 말대로 수술 후 회복이 빨랐다. 배액관 중 하나는 퇴원 전에 뺄 수 있었고 나머지 하나도 수술 5일 후 뺄 수 있었다. 땀이 많이 나면 상처가 곪을 위험이 있어서 산책을 나갈 수는 없었지만 쇼핑몰에서 살살 걸으면서 운동을 했다. 스쿼트 같은 다리 운동은 할 수 있었으므로 무리하지 않는 선에서 계속 운동을 했다. 간호사가 알려준 간단한 팔 운동도 매일 꾸준히 하고 인터넷에서 찾은 전체 절개 수술 후 팔 운동도 매일 했다. 매일매일 조금씩 왼쪽 팔을 더 움직일 수 있어 감사했다. 수술 전 매일 아침 하던 요가를 할 수 없어서 답답했지만 대신 명상으로 호흡과 마음을 다스렸다. 머리를 감기 힘들어서 긴 생머리를 단발머리로 자르고 미장원에서 머리를 감았다. 침대에서는 오른쪽으로 돌아서 겨우 일어났는데 양쪽 유방을 다 절제한 사람들은 과연 수술 후 어떻게 생활하는지 궁금할 정도로 불편했다. 암 수술이 아니라 미용으로 가슴 수술 하는 사람들도 많은데 그런 사람들이 새삼 존경스러웠다. 그리고 5일째 되는 날, 드디어 기다리던 전화가 왔다. 림프절 정밀검사 결과 깨끗하다는 전화였다. 순간, 울음이 터져 나왔다. 감사할 일이 또 하나 생겼다. 몸은 불편했지만 수술이 무사히 잘 끝났다는 생각에 마음은 많이 편해졌다.

나는 수술하고 잘 먹어야 한다는 지극히 한국적인 생각을 가지고 있었는데 공교롭게도 수술 직후 언니 집에서 일하는 도우미가 코비드에 걸려 1주일간 오지 못하게 되었다. 외국생활을 오래 했지만 몸이 아프면 찾게 되는 건 한국음식이었다. 언니 집에서 일한 지 15년 정도 되어 웬만한 한국음식을 뚝딱 해내는 도우미만 믿고 있었는데 낭패였다. 설상가상으로 언니도 나도 요리에는 소질이 없었다. 매일 밥을 사 먹는 게 싫어서 싱가포르에 사는 한국 동생한테 음식을 좀 해서 보내줄 수 있는지 물어보았다. 그 친구 역시 갑상선 암을 앓은 경험이 있어서인지 흔쾌히 부탁에 응해주었고 그 후 며칠간 정성껏 만든 한국음식을 보내주었다. 따듯한 미역국을 한 술 입에 넣자 저절로 몸보

신이 되는 것 같았다. 또 같은 시기에 내가 잘 알지도 못하는 언니 친구가 건강식 저녁을 준비해서 언니 집으로 보내주었다. 갤러리를 운영하는 바쁜 친구라 보통 때 얼굴도 제대로 못 보는 사람이었는데 이렇게 신경을 써주다니. 소금간이 거의 없어서 밍숭맹숭한 맛이었지만 그 정성이 감사해서 남기지 않고 다 먹었다.

힘든 수술 전, 후 시기에 나를 도와준 친구가 싱가포르에 또 있었다. 오클랜드 대학생 시절 알던 약사 친구였는데 역시 약사였던 남편과 같이 영국에서 오래 일하다가 가족과 함께 싱가포르에 온 지 얼마 안 되는 친구였다. 나는 그 무렵 거의 매일매일을 유방암에 대해 읽으며 지냈고 그만큼 질문들도 많아졌으나 의사 선생님한테 매일 연락할 수는 없는 노릇이었다. 다행히 이 친구 남편은 영국에서 암 병동에서 일을 했었고 또 엄마가 유방암을 겪어서 내가 하는 많은 질문들에 자세히 답을 해줄 수 있었다. 또 그 친구의 친구가 두바이에서 방사선과 의사로 일하고 있어서 싱가포르에서 했던 검사 결과들을 보내면 그것들을 보고 친절하게 질문에 답을 해주었다. 그뿐만이 아니었다. 고맙게도 이 친구는 거의 매일 병문안을 왔다. 암 진단을 처음 받던 날은 같이 병원에 와 주었고 힘든 일이 있을수록 잘 먹어야 한다고 집으로 데려가 저녁도 차려주었다. "힘들겠지만 이 또한 지나가리라"고 항상 용기를 불어넣는 이야기를 해주었다. 또 검사결과가 잘 나오면 자기 일처럼 기뻐해 주었고, 검사결과가 안 좋으면 그 어떤 검사결과가 나와도 치료방법은 있다고 위로해 주었다. 대학 졸업 후 20여 년 동안 연락도 안 하고 지내던 친구가 이렇게 성심성의껏 도와주어 너무 고마웠다.

그 외에도 도움의 손길을 주는 친구들과 동료들이 많이 있었다. 2년 전 유방암 진단을 받고 전체 절제 수술을 한 미국에 사는 초등학교 동창은 며칠에 한번씩 연락을 하며 내 상황을 체크하고 자기 경험담을 나누며 나를 위로해 주었다. 3년 전에 출산과 함께 대장암 진단을 받고 여태 투병중인 직장 동료는 자기가 그동안 리서치한 식단과 생활습관에 관한 내용들을 아낌없이 나누어 주었다. 8년 전에 간암 진단을 받은 또 다른 직장동료는 자기 담당의를 소개시켜 줬는데 그래서 나중에 내 담당의가 된 그 의사 선생님하고 싱가포르에서부터 통화 할 수 있었다. 암 병동에서 간호사로 일했던 동료의 친구는 수술 과정과 회복 과정, 그리고 약물치료와 방사선치료 등에 대해 내가 가지고 있는 많은 질문에 참을성 있게 대답해 주었다. 이뿐만이 아니다. 몇 해 전 유방암으로 전체 절제 수술 및 재건 수술을 한 언니 친구는 일부러 시간을 내 나를 만나주었고 위로해 주었다. 힘든 시간이었지만 이렇게 생각지도 못했던 많은 사람들에게 도움을 받을 수 있어 너무 감사했다. 암 수술을 받으며 연말에 감사해야 할 사람들이 부지기수로 늘어나고 또 그만큼 내가 '훌륭한 사람'이 될 확률은 줄어들었지만 내가 가진 어마무시한 인복에 감사하고 또 감사했다.

09

공부의 신

,

공부를 잘 하는 것도 능력이고 나는 그 능력을 타고 났다. 요점 파악을 잘 하고 집중력이 높으며 단기 기억력이 좋아서 시험 보기에 최적화된 두뇌를 갖고 있는 듯하다. 그리고 무엇보다 나는 끈기 있고 성실한 노력파였다. 공부는 엉덩이 힘으로 한다는 말에 나는 백 프로 동의한다. 대학 시절, 나는 시험 때가 되면 친구들을 만나지 않았다. 수업이 끝나면 집에 콕 틀어박혀 공부만 했다. 나는 구글이 나오기 전에 대학을 다닌 거의 마지막 세대였기 때문에 필요한 자료는 다 도서관에서 찾아서 공부해야 했다. 도서관에서 공부하는 친구들이 많았지만, 사람 좋아하는 나는 도서관에 있으면 수다 떨기에 바빠서 꼭 집에 돌아와서 공부를 했다. 물론 매일 공부가 잘 되는 건 아니었지만 되든 말든 책상 앞에 앉아있었다. 남자친구도 만나지 않아서 시험기간이 한번 지나갈 때마다 남자친구가 바뀌곤 했다. 기다리다 지친 남자친구들이 하나 둘씩 떨어져 나갔기 때문이다. 샤워하고 화장하는 시간도 아까워 매일 똑같은 옷에 똑같은 모자를 쓰고 학교에 다녀서 친구들이 '시험 복장'이라 부르던 그 옷들은 대학 졸업하자마자 구세군에 기증했다. 두 번 다시 보기 싫어서. 내가 그렇게 열심히 공부한 이유가 있다. 나는 공부밖에 잘 하는 게 없었기 때문이다. 고등학교 때 여러가지 과외활동을 하며 스스로 터득한 진리였다.

뉴질랜드 고등학교는 오후 3시 10분이면 수업이 끝났다. 게다가 아이들도 모여서 놀러 다니지 않고 각각 집으로 돌아가거나 아르바이트 장소로 가곤 했다. 학원도 없고 과외도 없었다. 처음 뉴질랜드에 와서 영어 한 마디 못하고 친한 친구도 없던 나는 한국에서 몇 년 배우던 피아노를 열심히 치기 시작했다. 음악 시간은 영어를 많이 안 해도 돼서 내가 좋아하는 시간이기도 했다. 내 피아노 실력은 한국에서는 명함도 못 내밀 실력이지만, 그 당시 우리 고등학교에는 피아노 배운 사람이 극히 드물었기 때문에 나는 곧 학교 대표로 음악 경연대회에 나가게 되었다. 게다가 음악 선생님의 권유로 시작한 첼로에 맛을 들여 음대에 갈까 심각하게 고민하기도 했다. 고등학교 시절 내내 하루 2-3시간씩 피아노, 첼로 연습을 하며 Royal School of Music에서 가장 높은 Grade 8 시험까지 다 합격했지만 나는 내가 훌륭한 음악가가 될 수 없다는 사실을 깨닫고 있었다. 첼리스트로 오클랜드시 주니어 오케스트라에 들어간 나는 6-7살밖에 안 된 어린 친구들이 자기 몸보다 훨씬 큰 첼로를 기가 막히게 치는 걸 보면서 음악은 역시 재능이 중요하다는 걸 느끼게 되었다. 음악 선생님 또한 "너는 머리가 좋아서 피아노를 잘 치는 거지 결코 음악성이 뛰어나서 피아노를 잘 치는 것이 아니니 음대에 갈 생각은 안 하는 게 좋겠다"고 하셨다. 뼈 아프지만 고마운 지적이었다.

'그럼 나는 농구선수가 돼야지.' 마침 그때는 마이클 조던이 농구계의 황제로 군림하던 때였다. 나는 교복을 제외하고 가진 옷이라곤 농구복밖에 없을 정도로 농구에 미쳐 있었다. 영어를 하지 않고도 농구공 하나만 있으면 남태평양 출신 남자 아이들이 자기들 농구 경기에 끼워줬고 그래서 농구를 더 열심히 하게 되었다. 덤으로 남태평양/아시아 혼혈 남자애들은 기가 막히게 잘 생기기까지 했다. 매일매일 농구를 해 농구 실력이 일취월장으로 늘어나자 학교 농구팀에도 들어갔다. 그러나 나는 내가 훌륭한 운동선수가 될 수 없다는 것 또한 알게 되었다. 한국에서 나는 체력장 때 늘 특급을 받을 정도로 운동을 잘 했고 또 좋아했다. 그러나 백인 아이들, 그리고 섬나라 아이들의 체력을 따라가긴 힘들었다. 경기하다 부딪히면 맥없이 나가떨어졌다. 내가 아무리 공을 잘 넣는다 한들 몸싸움에서 이길 확률은 없었다. '아, 내가 잘 하는 건 공부밖에 없구나!' 고등학교 4년을 음악실과 농구장에서 보낸 내가 스스로 내린 결정이었다.

오클랜드 법대는 4년제인데 다른 학부과정과 같이 복수전공을 할 경우엔 5년에 걸쳐 졸업을 하게 된다. 나는 법학과와 정치학과 복수전공을 선택했다. 법대는 들어오긴 쉽고 나가긴 어려운 전형적인 케이스라 1학년 약 900명의 학생들 중 절반 정도만 2학년으로 진학을 할 수 있었다. 떨어진 학생들이 다른 학과 과정을 순조롭게 마칠 수 있도록 1학년 때는 법대 과목을 1과목만 하고 나머지 6개 과목은 다른 학과 과정을 택하게 했다. 그 7개 과목의 총점이 A- 이상인 450-500명 정도만이 법대 2학년으로 올라갈 수 있었다. 다른 한국 학생들은 잔머리 돌돌 굴려가며 수학, 일본어, 중국어 등 성적 잘 나오는 과목을 1학년 때 택해 거의 총점 A+로 2학년에 올라갔다. 나는 미련하게도 정치학 2개, 역사학 2개, 불어 2개 과목을 택했다. 이민 온 지 이제 겨우 4년. 아직 영어가 남들에 비해 서툴렀다. 처음 낸 정치학과 에세이에서 C+를 받은 나는 정신이 번쩍 들었다. 법대 다닌다고 동네방네 떠들어 놓았는데 보기 좋게 낙제하면 어떡하나…. 그날부터 조교 방 앞에 죽치고 앉아 있었다. 나는 2학년에 죽어도 올라가야겠으니 어떻게 하면 A를 받을 수 있는지 가르쳐 달라고 눈물까지 그렁그렁 달고 떼를 썼다. 황당한 표정의 조교는 내 에세이의 잘못된 점을 몇 개 지적해 준 후 나를 잘 달래어 돌려보냈다. 그 다음 날, 조교가 지적해 준 곳을 고친 에세이를 들고 나는 다시 조교를 찾았다. 이젠 몇 점이나 주겠냐고 물었더니 여전히 고쳐야 할 곳을 몇 군데 더 지적해 주었다. 그렇게 하기를 대여섯 번, 이 정도면 A를 받겠다는 얘기를 듣고서야 돌아섰다. 그렇게 터득한 에세이 쓰는 법으로 나는 2

학년에 진학했고 무사히 졸업까지 할 수 있었다.

대학 공부는 너무 어렵고 예습 복습 양도 너무 많아서 나는 공부를 열심히 할 수밖에 없었다. 시험 보는 날 친구들이 "공부 많이 했어?" 하면 꼭 "응, 많이 했어"라고 대답해서 미움을 사기도 했지만 언제나 "응" 하고 대답하도록 공부를 열심히 했다. 시험 보고 나서 "시험 잘 봤어?" 물어보면 꼭 "응" 하고 대답해서 또 미움을 받았다. 하지만 열심히 공부했는데 "공부 별로 안 했어" 거짓말하기 싫었고 시험 잘 봤는데 "별로야, 망쳤어" 거짓말 하기도 싫었다. 공부 별로 안 했다고 뻥 쳐놓고 성적 좋게 나오면 더 미움을 받지 않을까. 대신 성적이 잘 나온 나를 부러워하는 친구들, 후배들한테 늘 이렇게 얘기했다. "나는 너희들처럼 아르바이트도 안 하고 집에서 살림을 하는 것도 아니고 (유학생, 자취생들이 많았음), 하루 종일 한 것이라곤 공부밖에 없는데 나처럼 공부 많이 해서 이 정도 성적도 안 나오면 그건 진짜 어디가 모자란 사람이다."라고. 물론 그건 사실이었지만 나중에 깨닫게 된 것은 부모님 등에 떠밀려 법대에 들어온 친구들, 후배들은 나같이 공부에 올인하기가 힘들었다는 것이었다. 나처럼 '이 길밖에 없다'는 깨달음을 가진 친구들은 몇 명 되지 않았다. 법대 신입생 환영회 때 "법대 왜 들어왔어요?"라고 물어보면 대부분의 아이들이 "엄마 때문에요, 의대 가기 싫어서요."라고 대답했다. 간혹 "변호사가 되고 싶어서요." 하는 아이들도 있었지만 "왜 변호사가 되고 싶은데요?" 하면 "엄마 때문에요."라고 했다. 이런 학생들 성적이 좋을 리 만무했다. 아이들 의견에 상관없이, 부모님 고집대로 아이 진로를 결정짓는 것이 어떤 결과를 낳는지 오클랜드 법대를 다니면서 뼈저리게 느끼게 되었다.

나는 지기 싫어하는 아이였다. 대부분 막내들이 그렇겠지만 집에서는 웬만한 건 다 내 뜻대로 됐다. 두 살 많은 언니는 착하기도 했고 "언니니까 동생한테 양보를 해야지"라는 세뇌교육을 받아서인지 내가 고집을 부리면 못 이기는 척 넘어가줘서 난 남이 나보다 더 잘 되는 꼴을 못 봤다. 어릴 때 외삼촌과 부루마불 게임을 하다가 내가 지자 한판 더 하자고 밤새 울며불며 떼를 쓴 기억이 아직도 난다. 학교에 들어가서도 공부면 공부, 달리기면 달리기, 고무줄이면 고무줄, 모든 일에 다 1등을 해야만 직성이 풀렸다. 초등학교 때는 성적표에 등수가 나오지 않아 그럭저럭 내가 공부를 제일 잘 하나 보다 하는 착각 속에서 잘 지냈다. 초등학교 6년 전과목 '수'를 받았고 개근상도 탔고 전교 회장도 했고…. 뭐 부러울 게 별로 없었다. 초등학교 때가 내 인생의 전성기였다고 농담 반, 진담 반 섞어 말할 정도였다. 그런데 중학교에 가니 학년 석차, 반 석차가 잔인하게 주르륵 나왔다. 너무나 속상했던 건, 내가 아무리 열심히 공부를 해도 전교 1등은 언제나 내 친구가 차지하는 거였다. 만년 전교 2등. 그것도 좋은 성적이었지만 나는 너무나 속상해 저녁 준비에 여념이 없으신 엄마 옆에서 불쌍한 표정을 한껏 지어가며 하소연을 했다. 엄마는 저녁거리에서 눈을 떼지도 않으시며 이렇게 말씀하셨다. "뭘 그런 걸 걱정하니. 전교 1등한 그 친구가 로켓을 만들면 너는 그 로켓을 타고 다니면 되는데." '아, 그렇구나!' 깨달음의 순간이었다. 그날 이후 난 나보다 똑똑한 사람들을 만나면 (그 후 수도 없이 만났다) 나 혼자 속으로 되뇌이곤 했다. "그래 너는 로켓을 만들고…."

내가 머리가 썩 좋은 사람이 아니라는 사실은 대학교에 들어와서 알았다. 고등학교 땐 공부에 별로 신경도 쓰지 않았거니와 우리 학교는 남들이 흔히 말하는 '명문고'가 아니었기 때문에 그냥 대충대충 해도 잘했다 잘했다 칭찬받고 자랐다. 그런 칭찬이 이민 초기의 상처를 극복하는데 얼마나 도움이 됐는지. 별 것 아닌 피아노, 첼로 실력으로 여기저기 음악 경연대회에 학교 대표로 나가고, 에어로빅 선수권 대회도 나가고, 학교 대표 농구선수로도 뽑히고. 공부는 뒷전이라도 과외활동은 열심히 해서 고등학교 졸업식 때 상이란 상은 (우등상 제외하고) 다 휩쓸고 나갔다. 그래서 한풀 꺾였던 자신감이 다시 고개를 들즈음 대학에 가게 되었다. 그리곤 다시 느꼈다. '아, 나는 결코 머리가 좋은 사람이 아니구나…' 우리 고등학교에서 법대에 진학한 친구는 나를 제외하고 2명 더 있었다. (사립고에선 3-40

명씩 우르르 법대에 입학하곤 했다.) 한 친구는 머리가 썩 좋진 않았지만 수업에 빠지지 않고 예습 복습을 철저하게 하는 노력파였다. 자기 노트로 책을 만들어 공부할 정도였으니까. 반면 또 한 친구는 머리가 비상했다. 수의사 아빠와 스탠포드 대학 수학 교수인 천재기가 번득이는 오빠를 둔 이 친구는 툭하면 수업에 빠지고 노트 정리도 안 했지만 수업시간에 교수님이 한 말을 빠짐 없이 기억할 수 있었다. 나는 그 둘의 중간 정도 됐다. 책을 만들 정도로 노트 정리를 잘 하진 못했지만 그 친구가 이해하지 못하는 것들을 내가 먼저 이해해서 설명해주곤 했다. 노트 하나 없이 교수님의 말을 줄줄이 외는 다른 친구는 내 경의의 대상이었다. 그런데 시간이 지나면서 놀라운 결과가 나타났다. 노력파인 친구의 성적은 날이 갈수록 향상되었고 머리가 좋은 친구의 성적은 날이 갈수록 떨어졌다. 머리의 한계를 노력으로 극복할 수 있다는 걸 깨달은 나는 책상 앞에 착 붙어 앉아 열심히 공부했고 결국 졸업생 상위 5%한테 주는 Senior Prize를 법학과 정치학 두 학부 모두에서 받고 졸업할 수 있었다.

나의 엉덩이 힘은 정치학 박사학위를 딸 때 가장 여실히 증명되었다. 나는 변호사로, 외교관으로 일을 하면서 박사과정을 밟았는데 뉴질랜드 외교통상부에 박사학위 받은 사람들은 꽤 있어도 일을 풀타임으로 하면서 박사학위를 풀타임으로 마친 사람은 나밖에 없었다. 처음에는 너무 부담이 되어 파트타임으로 박사과정을 할까 생각했었는데 그러면 최소 8년 동안 공부를 해야 한다고 해서 그 생각을 접었다. 8년 동안 공부를 할 자신은 없었다. 만약 풀타임으로 박사과정을 하면 최대 5년 안에 끝내야 된다고 했다. '나는 아직 젊고 딸린 식구도 없으니 가능할 거야'하고 스스로를 설득하며 다시 공부를 시작했다. 솔직히 대학교 졸업 후 처음 일년은 새로 시작한 변호사 일에 적응하느라 매일 야근에 주말까지 반납하며 일을 배워 나가도 모자랄 정도여서 공부를 할 엄두도 안 났다. 그런데 일 년이 지나고 나자 소위 '짬밥'이 조금 생겨 퇴근 후나 주말에 시간이 조금씩 생기기 시작했다. 이 자투리 시간들을 모아 공부를 했다. 꾸준히, 매일매일, 시간이 날 때마다 공부를 했다. 매일 퇴근 후 책상 앞에 앉았다. 어떤 날은 너무 피곤해 집중을 거의 못 할 때도 있었는데 그래도 30분이라도 책상 앞에 앉아 있었다. 신기한 것이 공부를 할 아무 의욕이 없을 때도 그냥 책상 앞에 앉아서 한줄 두줄 쓰다 보면 또 글이 쓰였고, 그런 글도 나중에 읽어보면 그리 나쁘지 않았다. 주중엔 그렇다 치고 주말은 곤욕이었다. 쉬고 싶고 놀고 싶은 마음을 꾹 참고 맑은 날이나 비 오는 날이나 책상 앞에 착 앉아서 공부를 했다. 그 와중에 오클랜드에서의 변호사 일을 그만두고 외교통상부가 있는 웰링턴으로 이사를 했고, 또 18개월 후에는 서울에 서기관으로 발령이 나 서울로 이사해야 했다. 이사를 할 때마다 논문에 참고할 자료들을 몇 박스씩 이고 지고 다녔다. 새로운 곳에 가서 적응을 하려니 이것저것 신경 쓸 일도 많았고 또 새로운 사람들을 만나느라 몸이 열 개라도 모자랄 지경이었다. 하루 24시간은 늘려지지 않고 체력이 달려 잠을 줄일 수도 없으니 자투리 시간을 최대한 활용해야 했다. 출장을 갈 때면 공항에서 기다리면서도, 또 비행기 안에서도 공부를 했다. 밥 먹으면서도, 화장실에 앉아서도, 차 안에서도 짬이 날 때마다 공부를 했다. 나름 '공부의 신'이라고 생각했었는데 그래도 너무 힘들었다. 이렇게 5년을 살 자신이 없었다. 그래서 내가 아는 모든 사람들에게 박사학위를 시작했다고 말했다. 신문사와의 인터뷰에서도 박사학위 얘기를 했다. 이렇게 사방팔방 말해 놓으면 '쪽팔려서' 중간에 그만두지 못 할 것 같아서였다.

그나마 다행인 건 내가 관심있는 분야가 확실했던 거였다. 나는 대학생 시절 동양인으로서 최초로 뉴질랜드 국회의원이 된 중국계 여자 의원을 도와 이 행사 저 행사 때 엠씨와 통역으로 활동하기도 했는데 그래서인지 뉴질랜드 동양인들의 정치참여도에 대해 관심이 많았다. 동양인들이 본격적으로 뉴질랜드로 이민을 오기 시작한 지 약 10년 정도밖에 안 되었던 터라 그 분야에 대한 연구는 거의 되어 있지 않았다. 덕분에 논문 심사가 나름 쉬웠던 것 같고 장학금도 받기 수월했던 것 같다. 제출할 논문을 마지막으로 프린트하고 나는 그 자리에서 펑펑 울었다. 내 황금 같은 20대를 공부만 하다 보낸 게 억울했다. 그 당시엔 너무 억울했는데 살아보니 30대에도, 40대에도 인생은 재미있었다. 또 '박사' 타이틀을 받고 나니 내 나이가 어려도, 동양 여자라도 쉬 얕잡아 보지는 않는 것 같아 공부하길 잘했다 하는 생각이 들었다. 물론 후회가 하나도 없는 것은 아니다. 박사학위 하는 다른 친구들 중에는 학생들도 가르치고 필드트립도 하면서 정말 공부하는 재미를 만끽하는 듯한 친구들도 있었다. 나는 항상 시간에 쫓겨서 공부하는 즐거움을 전혀 느끼지 못하고 스트레스 속에서 논문을 끝낸 것 같아 그게 조금 아쉬웠다. 그리고 몸이 너무 축났다. 비염에 치질에 허리디스크에 손목 통증에 뾰루지에…. 아직 20대인데도 몸이 여기저기 쑤셨다. 밤낮으로 책을 붙잡고 있어서인지 논문을 제출하고 나서 한 1년간은 만화책도 읽기가 싫었다. 그러나 내 안의 한계를 뛰어넘는 이런 경험을 하고 나자 이 세상 어떤 어려움이 닥쳐도 잘 해낼 수 있을 거란 생각이 들었다. 그리고 그때 생긴 자투리 시간을 유용하게 쓰는 버릇은 아직까지 남아 나로 하여금 많은 취미생활을 일과 병행할 수 있게 해 주었다.

공부밖에 잘 하는 게 없는 나는 공부 잘 하는 걸 중요시 여기는 한국에서 태어나 다행이라는 생각을 자주 한다. 뉴질랜드 와서 가장 놀랐던 것 중 하나는 운동 잘 하는 학생이 공부 잘 하는 학생보다 인기도 훨씬 많고 학교에서 인정도 더 많이 받는 거였다. 빌더나 농부나 변호사나 연 수입 차이가 비슷하고 직업에 귀천이 없는 뉴질랜드에서는 학생들이 공부에 올인하지 않고 자기 적성을 일찍 찾아 다양한 직업군에 종사한다. 이런 뉴질랜드에서 오래 살았어도 여전히 공부에 올인하는 걸 보면 나는 뼛속까지 한국인인가 보다. 학교 졸업 후에도 외국어 공부, 요가 공부, 성악 공부 등 공부에 많은 시간을 투자했고 그래서인지 공부에 대해서는 미련이 없다. 늘 공부를 잘 한 나에게는 성공한 삶이 당연하다고 생각되었고 그래서인지 아주 오랫동안 공부를 열심히 하면 훌륭한 사람이 될 수 있다고 믿었던 것 같다. 철이 들고 나서야 공부를 잘 하는 것 또한 재능에 불과하다는 걸 알게 되었다. 또 결혼을 하고 애를 낳고 암 투병을 하면서 공부를 잘 하는 이 재능의 한계를 온몸으로 느끼게 되었다. 이제는 내가 가지고 있는 이 재능을 더 이상 나를 위해서만 쓰지 않고 남들을 위해 쓸 수 있었으면 좋겠다. 아직 내가 무슨 일을 어떻게 해야할지 모르겠지만 이런 생각을 가지는 것이 내가 추구하는 '훌륭한 사람'이 되는 첫걸음이라고 믿고 싶다.

오클랜드 대학교 박사학위 졸업식 / 2006년

10

화학요법

수술 후 formal diagnosis가 나왔다. Stage 1b, hormone-receptor positive, HER2-negative 유방암이었다. 담당의는 다행히 수술이 깨끗하게 잘 되어 방사선 치료는 하지 않아도 된다고 했다. 이어 담당의는 tumour molecular profiling중 하나인 Oncotype DX 검사를 하는 걸 권했다. 유방암 초기 환자들의 종양이 얼마나 악성인지 알아내는 검사인데 만약 recurrence score가 25 이하면 화학요법을 안 해도 된다고 했다. "아는 것이 힘"이라 굳게 믿는 나는 검사를 하기로 결정했다. 수술 중 떼어낸 종양을 미국으로 보내 검사를 해야 한다고 했고 그렇기 때문에 결과가 나오려면 한 열흘 정도 걸린다고 했다. 정말 기다리는 것엔 신물이 났다. 암 치료보다 검사 결과를 기다리는 것이 더 힘들다고 한 친구의 말이 이해가 갔다.

암 진단 후 자카르타 대사관으로 난 발령은 조기 종결됐고 나는 뉴질랜드 본부로 돌아가야 했다. 급하게 싱가포르에 오느라 아직 자카르타에 있는 짐을 정리하지도 않은 상태여서 기다리는 열흘 동안 자카르타에 가서 짐을 싸서 뉴질랜드로 부치고 다시 올까 생각도 했다. 만약 화학요법을 해야 한다면 수술 후 8주 이전에 시작을 해야 해서 시간이 많지는 않았다. 하지만 수술 후 내 몸은 아직 정상으로 돌아오지 않아 몸이 쉬 피곤해졌다. 비행기를 타는 것도 그렇고 가서 하루 종일 짐을 쌀 자신이 없었다. 무리를 하는 것보다 싱가포르에서 기다리는 게 낫다고 결정을 내렸다.

기다리는 시간은 지루했다. 하루가 일주일만큼 길게 느껴졌다. Oncotype DX랑 그와 비슷한 검사들에 대해서 샅샅이 조사하고 또 화학요법에 대해서도 많은 기사들을 읽었다. 일도 안 하고 친구들도 안 만나고 짐 정리도 할 수 없고 가족들과도 떨어져 있고 하루 종일 암에 대해서 조사만 하니 너무 우울했다. 뉴질랜드에 있는 카운셀러랑 상담도 하고 또 뉴질랜드에 있는 종양 전문의와 통화도 몇 번 했다. 그때 내 상태는 정말 안 좋아서 통화를 할 때마다 눈물 바다였다. 카운셀러와 종양 전문의는 뉴질랜드 집에 돌아와 가족들과 다시 생활하면 모든 게 좀 더 나아질 것이라고 했다. 그 사람들은 이해하지 못하고 있었다. 나는 자카르타에서 아주 만족스러운 생활을 하고 있었고, 또 그 생활이 암 진단으로 인해 갑자기 끝나는 것에 몹시 화가 나 있었음을. 따뜻한 자카르타를 떠나 한겨울 비바람이 부는 웰링턴으로 가는 것이 몸서리 칠 정도로 싫었다는 것을. 도우미와 운전사가 딸린 여유로운 생활을 끝내고 설거지 빨래 집안 청소 등 집안일을 스스로 해야 하는 웰링턴으로 가는 것이 끔찍했음을. 맛있는 식당들이 즐비하고 또 그런 식당들에 같이 갈 친구들도 많은 자카르타를 떠나 매일 집에서 요리를 해먹어야 하는 웰링턴으로 가는 것이 싫었다는 것을. 그래서 매일 밤 울다가 지쳐 잠이 들고 자다가 깨면 또 울었다.

이렇게 살다간 암이 아니라 정신병으로 죽겠구나, 눈물로 밤을 지새우던 중 이런 걱정이 들었다. “자극과 반응 사이에는 틈이 있다. 이 틈새에 우리가 어떤 반응을 보일지 선택할 수 있는 힘이 존재한다.”[8]는 말을 기억해냈다. 나는 지금 암 진단이라는 자극 앞에서 어떻게 반응하고 있는 것인가. 그러자 무기력하게 울며 매일매일을 보내는 내 자신이 한심해졌다. ‘내가 이 시련에 어떻게 반응할지는 오로지 내 선택에 달렸다.’라고 생각하며 책을 들었다. 책을 읽다 보니 눈이 너무 아파 오디오북을 듣기 시작했다. 아침에 일어나서 침대에서도, 식사준비를 할 때도, 세수를 할 때도, 산책을 나갈 때도, 차 안에서도, 자기 전에도, 새벽에 잠을 깨서 다시 잠이 오지 않을 때도 계속 책을 들었다. 자기계발서도 듣고, 소설도 듣고, 에세이도 듣고, 투병기도 듣고, 역사책도 듣는 등 활자로 이루어진 것이라면 닥치는 대로 들었다. 한 번에 한 권씩 듣는 것이 아니라 4-5권을 같이 시작해서 그때그때 기분에 따라 듣고 싶은 책들을 들

8 빅터 프랭클, “죽음의 수용소에서”.

었다. 그리고 책 한권을 다 들을 때마다 책 제목과 작가 이름을 적었다. 연말에 내가 들은 책 권수를 세어봤더니 무려 85권이었다. '올 한 해를 그냥 낭비해 버린 건 아니구나' 하는 희미한 만족감이 들었다.

많은 책들을 듣기 시작하자 한가지 메시지가 분명하게 다가왔다. "네가 지금 할 수 있는 일을 해라. 무작정 낙관하지 말고 어려운 상황을 있는 그대로 수용하고 현재 상황에서 긍정적인 의미를 발견해라." 정신을 다잡았다. 자카르타 대사관을 떠나기 전 해야 할 일들은 많았고, 나는 랩탑을 켜고 그 일들을 차근차근 해 내가기 시작했다. 검사결과가 나온 직후 자카르타로 떠날 수 있게 비행기표를 예약했다. 떠나기 전 자카르타에서 만나고 싶은 친구들과 약속을 잡았다. 이삿짐 센터에 연락해 사정 얘기를 하고 짐 부칠 날짜를 정했다. 인도네시아 핸드폰과 은행 계좌를 닫을 준비를 했다. 도우미와 운전사에게 새 직장을 찾아주기 위해 광고를 냈다. 하지만 자카르타에서 웰링턴으로 가는 비행기표는 예약하지 않았다. 만약 Oncotype DX 검사결과가 좋아서 화학요법을 하지 않아도 된다면 발리에 가서 느긋하게 휴가를 보내고 천천히 뉴질랜드로 돌아갈 생각이었다. 싱가포르를 떠날 날도 얼마 남지 않았으므로 그동안 도움을 줬던 고마웠던 친구들과도 약속을 잡았다. 담당의한테 드릴 조그마한 선물도 준비했다. 여태껏 나를 돌보아 준 언니와 형부에게는 운동 열심히 하라고 컨트리클럽 연회권을 끊어주었다. 그리고 꾸준히 운동, 명상을 계속했다. 이렇게 바쁘게 생활하다 보니 우울감도 많이 줄어들었고, 수술 부위에 집중되었던 신경도 많이 느슨해졌다.

전화벨이 울렸다. 병원을 제외한 다른 모든 연락은 문자로 오고 있었으므로 전화벨이 울리면 가슴이 철렁했다. Oncotype DX 검사결과가 나왔고 recurrence score는 35라는 높은 숫자였다. 다시 눈앞이 깜깜해졌다. 도대체 왜 나한테만 이런 일이! 지난 몇 주간 다잡은 마음이 다시 허물어졌다. 화학요법은 이제 피할 수 없었다. 암보다 더 무섭다는 화학요법. 울음이 터져 나왔다. 약 먹는 게 싫어 진통제도 잘 안 먹던 나였다. 그런 내 몸에 독극물을 집어넣어야 한다니! 그것도 지금 내 몸 안에 있는 암세포를 죽이려고 하는 화학요법이 아니라 혹시라도 빠져 나갔을지 모르는 지금은 발견할 수 없는 작은 암세포를 죽이려고 하는 화학요법이라니. 끔찍하게 싫었다. Oncotype DX 리포트에 따르면 화학요법을 하지 않을 경우 재발률은 23% 정도라고 했다. 그러면 화학요법을 하지 않아도 재발하지 않을 확률이 77%라는 건데. 화학요법을 해도 재발율이 0%가 되는 것은 아니라고 했다. 그런데도 화학요법을 해야 하는 건지. 화학요법에 대한 부작용을 지난 며칠간 수도 없이 읽어서 더더욱 마음이 무거웠다.

싱가포르에 있는 종양 전문의는 말했다. "의사로서 화학요법을 추천하지만 결정은 환자 자신이 해야 하는 겁니다." "의사가 추천하는데 화학요법을 안 하는 사람들도 있나요?" 나는 눈이 휘둥그레져 물었다. "그럼요, 많습니다. 예를 들어, 자기 사업을 하는 사람들은 몇 개월 동안 화학요법을 하며 일을 쉴 여유가 없지요." 또다시 둔기로 얻어맞은 것 같았다. 아, 화학요법을 받아도 직장을 잃을 걱정이 없는 나는 얼마나 운이 좋은 것인가. 감사하기로 마음먹었다. 치료를 받는 것을 최우선으로 둘 수 있는 나의 상황에. 이렇게 마음을 먹으니 감사할 일들이 또 떠올랐다. 화학요법을 시작하고 그 후 호르몬 요법을 하면 갱년기가 앞당겨진다고 했는데 나는 이미 아이를 낳아서 출산에 대한 걱정을 안 해도 되는 것에 감사했다. 어차피 몇 년 안에 겪어야 할 갱년기였다. '생리 안 하는 나라'에서 살고 싶다던 내 소원이 몇 년 더 일찍 들어진 것으로 생각하자고 마음먹었다. 남편이 내 긴 생머리를 좋아해서 지난 십 몇 년간 머리 스타일을 바꾸지 못해서 좀 단조로웠는데 화학요법을 하면 머리가 다 빠진다니 새로운 머리스타일을 할 기회라고 긍정적으로 생각하기로 했다. 화학요법 도중 먹지 못 하는 음식들이 임신했을 때의 그것들과 비슷해서 임신을 한 번 더 한 걸로 여기자 마음먹었다. 첫 번째 임신 후에는 생명을 탄생시켰고 '두 번째 임신'은 내 생명을 살리기 위한 것이라고. 첫 번째 임신과 마찬가지로 이번에도 내 고통은 가치 있는 것일 터였다. 또 하나 감사할 것은 재발 예방용 화학요법이기 때문에 끝이 있다는 점이었다. 홀로코스트 수용소에 있는 사람들에게 가장 절망적이었던 것은 자기가 얼마나 오랫동안 수용소 생활을 해야 하는지를 알지 못하는 것이었다고 한다. 내 치료는 끝이 있으니 얼마나 다행인가. 이렇게 마음을 다잡고 뉴질랜드로 돌아가는 비행기표를 끊었다.

언니와 함께 자카르타로 돌아왔다. 수술부위가 아직 회복이 안 되어 언니가 짐을 싸줬고 나는 짐을 뉴질랜드로 부칠 서류를 준비했다. 남편과 나는 물건 욕심이 없는 편임에도 불구하고 작은 아파트에서는 짐들이 끊임없이 나왔다. '사람이 살아가는데 이렇게 많은 물건들이 필요하나' 하는 생각이 들 정도였다. 더 기가 막힌 건 남편과 아들은 이미 뉴질랜드에서 이 모든 물건들 없이 행복하게 잘 살고 있다는 사실이었다. 가뜩이나 죽음을 눈앞에서 본 기분이어서 이 모든 물질적인 것들이 다 부질없어 보였다. 이번 기회에 짐을 좀 줄이자. 지난 3년간 입지 않았던 옷가지와 신발들을 내 놓았더니 밤사이 아파트에서 일하는 사람들이 싹 가져갔다. 유통기한이 지난 화장품과 세면용품들도 싹싹 가져갔다. 쓰레기통에 버려지지 않고 누군가가 가져가서 쓸 수 있다니 다행이다 생각하며 매일 매일 몇 박스씩 물건들을 내놓았다. 아빠가 돌아가시고 오클랜드의 방 6개짜리 큰 저택을 정리한 경험이 있는 언니는 원래 '정리정돈의 신'이라 불렸고 자카르타 내 집에서 마치 물 만난 고기처럼 빛과 같은 속도로 짐 정리를 해냈다. 언니한테 싱가포르로 돌아가면 집 정리하는 사업을 시작하는 게 어떠냐고 농담조로 얘기할 정도로 귀신처럼 정리를 하고 짐을 싸줬다. 그렇게 정리를 하고도 50박스가 넘는 물건들을 뉴질랜드로 보내야 했다.

저녁에는 친구들을 만났다. 보통 공관에서 근무를 같이 한 사람들은 거의 가족이 될 만큼 친해지는데 코비드를 겪으며 가족과 떨어져 서로에게 의지하며 지냈던 동료들은 가족보다도 더 가까운 사이가 되어 있어 이별은 쉽지 않았다. 좋게 헤어졌어도 힘들 상황인데 암에 걸려 화학요법 받으러 돌아간다고 하니 모두들 안타까워했다. 개중에는 나를 보러 일부러 싱가포르에 와 준 친구도 있었고 하루도 빠지지 않고 매일 전화를 해준 친구도 있었다. 친구들의 반응은 크게 두 가지로 나뉘었는데 하나는 너무 놀라 무슨 말을 해야 할지 모르는 케이스였다. 암 진단 전 내가 그랬듯이 주변에 암 환자가 없어서 암에 걸렸다고 하면 죽는 줄로 알고 있는 그런 사람들이었다. 이런 친구들을 만나면 내가 오히려 괜찮다고, 치료 받으면 괜찮아질 거라고 위로를 해야 하는 아이러니한 상황도 연출됐다. 또 하나는 주변에 유방암 또는 다른 암을 극복한 지인들이 있는 케이스로 유방암은 다른 암에 비해 치료도 표준화 되어 있고 재발 위험도 낮으니 치료 잘 받고 건강한 모습으로 다시 만나자며 나를 위로해 주는 그런 사람들이었다. 생각보다 주변에 암에 걸린 사람들이 많았고 이러한 사실이 묘하게 나를 안심시켰다. 낮에 하루 종일 짐을 싸고 저녁마다 친구들을 만나 눈물 콧물 빼는 것이 육체적으로는 힘들었지만 그래도 그네들을 만나면 힘이 되었고 그 힘으로 하루하루를 버텼다. 치료 잘 받고 자카르타로 다시 놀러오겠다 약속했고 5개월 뒤 그 약속을 지킬 수 있어 기뻤다.

11

변호사

사람들이 나보고 왜 변호사가 되고 싶냐고 물어보면 딱히 할 말은 없었다. 흔하디 흔한 이유인 "엄마 때문에요"는 아니었지만, 세상의 약한 자들을 돕기 위해서라는 숭고한 이유도 아니었다. 변호사들이란, 특히 큰 로펌에 다니는 변호사들이란, 세상의 약한 자들과는 아무런 상관도 없다는 걸 이미 알고 있었던 까닭이었다. 그렇다고 해서 훌륭한 변호사가 되어 나중에 판사도 하고 뉴질랜드 법조계에 한 획을 긋길 바랐냐면 또 그런 것도 아니었다. 나는 그냥 막연히 정치외교 이런 쪽에 관심이 많았는데 그런 쪽에서 일을 하려면 법조인이 되는 게 지름길이라고 생각해서 법대에 들어갔다. 동양인 이민자로서 현지에서 살아남으려면 '자격증'을 갖는 게 중요하다고 여겨지기도 했다. 지금 생각해보면 법대에 간 것은 정말 잘 한 일이었는데 그 이유는 우선 법대가 아니면 그렇게 열심히 공부할 기회가 주어지지 않았을 것 같아서다. 또 법을 알고 있다는 것은 국가, 또는 다른 거대한 권력에 겁내지 않고 당당하게 맞설 수 있는 그런 자신감을 갖게 해주었다. 제 아무리 높으신 분들도 법 앞에선 나랑 똑같은 한 인간이라는 걸 배운 나는 예나 지금이나 소위 '높으신 분'들을 보고 겁먹지 않는다. 법치국가인, 또 세계에서 가장 부정부패가 없는 뉴질랜드라는 천혜의 환경에서 자란 사람들만이 가질 수 있는, 어찌 보면 사치스러운 자신감이지만, 나는 요즘도 진로 걱정을 하는 후배들에게 거침없이 법대에 진학하라고 조언하곤 한다. 자신감도 자신감이지만, 법대 공부를 하고 나면 이 세상 그 어떤 일이라도 다 헤쳐나갈 수 있을 것 같은 생각이 드는데, 아마 젖 먹던 힘까지 다 끌어와서 공부를 해 본 사람들만이 느낄 수 있는 그런 기분이 아닌가 싶다.

대학 3학년 봄, 오클랜드에 있는 대규모 로펌들이 인턴(summer clerk)을 모집했다. 이 인턴십을 잘 끝내면 졸업 후 직장이 보장되는 것이기 때문에 여기에 뽑히기 위한 경쟁이 치열했다. 나는 성적이 좋아서 상위 15% 학생들만 들어가는 우등학사학위(Honours degree) 코스를 밟고 있었고, 그래서 당연히 인터뷰에 합격할 것으로 예상하고 어느 회사에 갈까 김칫국부터 마시고 있었다. 그런데 웬걸, 단 한군데에서도 인터뷰 요청이 오지 않았다! 알고 보니 나를 제외한 우등학사학위 학생들은 모두 최소 6-7개 회사에서 인터뷰 요청을 받은 거였다. 참으로 이상했다. 로펌들에 보낸 내 소개서를 싸 들고 취업 컨설팅 회사를 찾았다. 내 소개서와 성적표를 본 컨설턴트는 고개를 갸우뚱하며 이렇게 말했다. “인터뷰 요청을 못 받을 이유가 없군요. 제가 해 드릴 수 있는 조언은 이름을 Sandra Parker로 바꾸고 머리를 금발로 염색하라는 겁니다." 아, 그랬구나. 서럽기도 했지만 오기도 생겼다. 오냐, 나를 데려가지 못해 안달이 나도록 만들 테다. 방법은 단 하나, 공부를 더 열심히 하는 거였다. 약 100여 군데 로펌과 정부기관에 소개서를 넣은 대학 4학년 때, 한 로펌에서 인터뷰가 들어왔지만 로펌 안에 한국팀을 만들어 달라는 제의에 거절했다. 나는 내가 한국계라는 것과 상관 없이 다른 어떤 변호사한테도 꿀리지 않는 훌륭한 변호사가 될 거라고 스스로 다짐했다. 졸업하던 해, 상위 5% 졸업생들에게만 주는 Senior Prize를 받고 나서야 인터뷰 요청이 들어오기 시작했다. 남들보다 뛰어나야 살아남을 수 있었던 동양인 이민자의 설움을 몸소 체험한 취업 과정이었다.

여러 로펌에서 오퍼가 왔지만 나는 일을 혹독하게 시키기로 유명한, 그래서 'The Factory'라 불리우는 회사를 선택했다. 그 회사를 택한 이유는 간단했다. "It's the best." 최고의 로펌에서 최고의 변호사들에게 일을 배우고 싶었기 때문이었다. 로펌 안엔 여러가지 부서가 있었는데 나는 두 번 생각하지도 않고 법정 변호사(litigation)의 길을 택했다. 내가 생각하는 변호사는 책상 앞에서 산처럼 쌓아 올린 계약서를 쓰는 사람이 아니라 법정에서 현란한 말솜씨로 배심원단을 사로잡으며 변론하는 변호사였기 때문이었다. 어려서부터 목소리가 커 말싸움에서 진 기억이 없던 나는 법정 변호사가 천직이라 여겨졌다. 배심원들과 판사 앞에서 조리 있는 웅변으로 승소하는 나의 모습…. 그러나 웬걸, 현실은 그와 달랐다. 말단 변호사인 나의 임무는 도서실에서 관련 있는 판결문을 찾아 복사하고, 법원에 제출할 서류들을 정리하고, 한 마디로 파트너들 뒤치다꺼리 하는 일이었다. 내가 이런 일 하려고 법대 5년 동안 쌔빠지게 공부했나…. 억울한 적이 한두 번이 아니었다. 어쩌다 복사가 잘못 되기라도 하면 (복사만 하루 종일 해본 사람은 복사하는 것도 결코 쉬운 일이 아니라는 걸 알 것이다) 그때 쏟아지는 욕설은 말로 표현 할 수도 없었다. 모든 변호사들이 그런 것은 아니었지만 나는 특별히 고약한 파트너에게 걸렸다. 실수 한 번 하면 눈물이 쏙 빠지게 욕설을 퍼부었던 이 파트너는 성격이 괴팍하기로 유명한, 세상을 전투적으로 살아가는 사람이었다. 내가 처음 변호사로서 쓴 편지 초안을 'the'와 'a' 빼놓고 모두 고쳐버린 위인이기도 했다. (나는 이 빨간 마크 투성이인 편지를 아직도 가지고 있다.) 그나마 회사를 박차고 나오지 않았던 건 그 파트너의 해박함에 넋이 나갔기 때문이었다. 지난 몇십 년간 뉴질랜드를 비롯, 영국, 호주 등의 판결문들을 거의 줄줄이 외우고 있던 그 분은 법정에서는 또 어찌 그리 달변을 구사하는지. 나는 그 성격 파탄 파트너에게 너무나 많은 것을 배웠지만 또한 저렇게 살지 말아야지 하는 굳은 다짐도 하게 되었다. 또 하나 좋았던 점은 이 파트너 밑에서 일하던 변호사들의 끈끈한 동지애였다. '공공의 적' 밑에서 우리들은 똘똘 뭉쳤고 그 덕분에 20여 년이 지난 지금도 그때 같이 일했던 변호사 동료들과 연락을 하고 지낸다.

우리 파트너가 특별히 괴팍하긴 했지만 그 사람뿐 아니라 우리 로펌에 있던 파트너들 대부분은 개인 생활이라는 게 거의 없는 듯했다. 매일 회사에서 자정이 넘도록 일하고, 극도의 스트레스로 인해 항상 신경이 곤두서 있는 듯한 그들은 별일 아닌 것에도 버럭버럭 화를 내곤 했다. 나 또한 한창 바쁠 때는 같이 점심 먹고 있던 친구를 식당에 혼자 놔두고 식사 중간에 벌떡 일어나 회사로 돌아가 급한 일을 처리한 적도 있었다. 인간의 기본적인 에티켓도 무너져가던 시절이었다. 원래 싸움박질 좋아하고 말싸움에 둘째 가라면 서러웠던 나는 법정 변호사를 하며 점점 더 성격이 나빠졌다. 식당에서 서비스가 늦으면 분노가 배꼽 밑에서부터 치솟아 올랐고 음식에서 머리카락이라도 나오는 날엔 거의 이성을 잃었다. 엄마는 이런 나를 '쌈닭'이라고 불렀다. 게다가 만나는 고객들의 대부분도 악에 받쳐 있는 사람들이었어서 (악에 받치지 않고서는 웬만한 문제를 법정까지 끌고 가지 못한다.) 나는 점점 성격파탄자가 되어갔다. 동료 변호사들뿐만 아니라 이 세상 모든 사람들이 '적'과 '아군'으로 분류되었다. 특히, 법정 공방 날이 다가올수록 더욱 그러했다.

일을 많이 시키기 위해 로펌에서는 모든 편의를 봐줬다. 아침이나 점심엔 주로 회의나 세미나가 있어서 일을 하면서 밥을 먹었다. 그냥 밥이 아니라 최고급 재료로 최상급 요리사들이 만들어 준 진수성찬이었다. 저녁을 원하는 사람들한테는 점심에 남은 음식들을 데워줬는데 워낙 점심 회의들이 많다 보니 저녁 음식 종류도 다양했다. 그럼에도 불구하고 대부분 변호사들은 저녁을 먹지 않고 계속 일을 하곤 했다. 내 체력의 한계를 여기서 느낀 게 나는 저녁시간이 조금만 늦어지면 짜증이 확 올라 일을 제대로 할 수 없었기 때문이었다. 그래서 내가 'hangry (hungry + angry)' 상태가 되기 전 동료들은 서둘러 식당으로 나를 보내곤 했다. 삼시세끼 식사 이외에도 회사 내 라운지에 가면 콜라, 주스, 커피, 차 등 음료수와 간단한 간식들이 언제나 준비되어 있었다. 금요일 저녁엔 원하는 술을 양껏 마실 수 있었는데 고급 와인, 양주, 샴페인 등 귀한 술들 외에 바텐더가 만들어주는 칵테일도 마실 수 있었다. 비서들은 변호사들이 시간 낭비하지 않도록 가족들 생일, 결혼기념일 등을 미리 알아내어 꽃과 선물까지 대신 준비해줬다. 피곤하면 잘 수 있는 침대방이 있었고, 체육관과 샤워실도 번쩍번쩍했다. 처음 입사했을 때는 이런 것들이 다 좋아 보였지만 시간이 지날수록 우리를 회사에 오래 잡아놓기 위한 계략이라고 생각하게 되었다. 회사는 회사대로 적성검사에서 경쟁심이 특출나게 강한 변호사들만 뽑았기 때문에 동료들은 주말은 물론이고 크리스마스, 부활절 등 공휴일에도 경쟁적으로 일을 했다. 나 또한 지기 싫어 남들보다 더 열심히 주말과 공휴일을 반납하며 일을 했다. 이렇게 살아야 하나 생각이 들 무렵 우리 팀의 파트너 둘이서 새로 변호사 회사를 차려 로펌을 떠나겠다는 청천벽력 같은 소식을 전해왔다. 로펌에서 아직 2년도 채 일하지 않았는데. 나를 비롯한 다른 변호사들은 로펌에 남아있든지 새 회사로 가든지 둘 중 하나를 선택해야 했다. 명성 있는 큰 로펌을 떠난다는 불안감이 더 큰 것일까, 아니면 여태껏 일해온 실력 좋은 파트너들과 더 이상 일을 할 수 없다는 아쉬움이 더 큰 것일까? 몇 주에 걸친 고민 끝에 나는 '사람들'을 택했다.

새로 생긴 로펌은 시작부터 많은 염문을 뿌려댔다. 우선 그렇게 큰 로펌에서 한 팀이 다 나간다는 것 자체가 전무후무한 일이었고, 나간 파트너들이 워낙 명성이 자자한 변호사들이어서 더욱 그러했다. 그동안 아무 걱정 없이 budget만 맞추면 되던 우리들은 갑자기 전화도 들여놓고, 꽃도 사고, 소파도 사고, 법률 책도 사고, 미술품도 사고, 심지어 금요일 저녁에 마실 와인까지 골라야 했다. (물론 budget을 맞추는 것은 '아무 걱정 없이' 할 수 있는 쉬운 일이 아니었다. 내가 다니던 로펌에서 한 변호사에게 할당된 budget은 하루 7시간 반을 빼곡히 일해야 맞출 수 있는 것이었다. 밥 먹는 시간, 쉬는 시간, 화장실 가는 시간, 가족들과 전화하는 시간 등 고객에게 청구할 수 없는 모든 일들을 제외하고 7시간 반을 맞추려면 하루 최소 12시간은 일해야 했다. 그래서 우리들의 일상은 6분 간격의 billing time으로 쪼개어졌다.) 물론 대부분의 결정은 파트너들이 했지만 우리 의견을 반영해서 회사가 만들어진다는 점에 나는 신이 났다.

새로운 회사에서 나는 변호사로서의 즐거움을 찾았다. 이젠 내 밑에 말단 변호사도 생겨서 더 이상 복사 같은 허드렛일을 하지 않아도 되었고, 가족 같은 분위기의 회사에서 일의 능률도 올랐다. 회사에서도 조그마한 케이스는 나 혼자 법정에 가서 변론할 수 있도록 배려를 해 줘서 더더욱 재미있는 하루하루였다. 처음 법정에 섰을 때는 긴장감에 몸이 덜덜 떨렸는데 그때 옆에 있던 파트너가 귓속말을 했다. “저 판사가 아침에 처음 일어났을 때를 상상해 보렴. 머리는 부스스하고 잔뜩 구겨진 파자마를 입고 커피를 만드는 모습을 말이야. 저 판사도 우리와 같은 사람이란다. 그리고 이 사건에 대해서는 너보다 훨씬 적게 알고 있지.” 웃음이 픽 나면서 긴장이 풀어졌고, 나는 이 방법을 나중에 외교관이 되어서 높은 분들을 만날 때도 많이 사용했다. (스페인 왕이 아침에 처음 일어났을 때의 모습을 상상하면 떨지 않고 능숙하게 스페인어로 인사할 수 있었다.)

처음 변호사 생활을 시작했을 때는 눈코 뜰 새 없이 바빠서 돈 쓸 시간도 없었는데, 일이 좀 익숙해지고 바쁜 생활에 적응이 되자 돈 쓰는 재미에도 눈을 뜨게 되었다. 고급 와인, 음식, 미술품, 자동차 등 fine goods를 좋아했던 파트너들 덕에 나는 뉴질랜드 상류사회 사람들의 인생 즐기는 법을 하나하나 배우기 시작했다. 가끔 가 본 파트너들의 집은 박물관처럼 미술품들이 많았고, 차들은 기본적으로 3-4대씩 있었다. 회사 크리스마스 파티는 고급 요트에서 했다. 매주 금요일 오후, 회사는 직원들에게 뉴질랜드 최고급 와인과 치즈 등을 대접했다. 번 돈을 다 와인으로 쓴다는 말이 나올 정도로 먹고 마시는 데에는 돈을 아끼지 않았다. 덕분에 직원들의 사기는 올라가고 우리는 짧은 시간 내에 뉴질랜드 최고 boutique law firm이라는 명성을 얻었다.

법정 변호사에도 여러가지 분야가 있는데 나는 특히 해상법을 많이 다루는 파트너 밑에서 일했다. 해상법은 워낙 특별한 전문 분야라 뉴질랜드에서 해상법을 다루는 변호사는 몇 되지 않았다. 게다가 명망 높은 파트너 밑에서 일한 덕분에 나는 3년 반 남짓한 짧은 변호사 생활 동안 해상법 분야에서는 꽤 이름이 알려진 주니어 변호사가 되었다. 뉴질랜드에서 일어나는 큰 해상법 사건은 우리 회사가 거의 도맡아 했고 항소 재판도 많이 했으니 내가 아닌 내 자리에 있는 다른 어떤 변호사라도 쉽게 이름을 알릴 수 있었을 거였다. 나는 운 좋게도 남들이 부러워하는 그런 자리에서 일을 하게 되었다. 해상법 중 내가 가장 좋아했던 것은 배를 '체포' 하는 거였다. 빚을 갚지 못한 선주의 배가 뉴질랜드 항구에 정착하면 해경과 몰래 그 배에 다가가 체포영장을 붙였는데 그게 꼭 007 작전 같이 스릴이 넘칠 때도 종종 있었다. 배가 체포되면 그 선주가 진 빚 전액과 변호사 비용을 담보로 내놓기 전에는 체포 당한 배가 항구를 떠날 수 없었다. 하루 이틀 늦었을 경우 손해가 막심한 무역업에서 배가 묶이는 것은 용납하기 힘든 일이라 배가 체포되기 직전부터 체포되고 난 뒤 2-3일은 눈코 뜰 새 없이 바쁘고 이리저리 뛰어다녀야 하는 그런 급박한 상황이 연출되었다. 그때의 긴장감이란! 아드레날린 덕분에 밥을 안 먹어도 배가 부르고 잠을 못 자도 피곤한 줄 몰랐다. 그런 상황에서 성공적으로 한 건을 마치면 마치 가족과 같은 유대감이 팀 멤버들을 감쌌다. 추진력 좋고 디테일에 강하고 일 처리가 빨랐던 내 적성에 딱 맞는 일이어서 처음에 나를 구박하던 파트너도 차츰 나를 인정해 주기 시작했다.

변호사로서의 나의 모습에 자신감을 가지게 될 무렵, 주변의 동료들이 하나 둘씩 외국으로 떠나기 시작했다. 작은 섬나라에 산다는 약점을 잘 파악하고 스스로 극복하기 위해 뉴질랜드의 20대 젊은이들은 대부분 외국으로 떠나 몇 년씩 일을 하는데 이것을 OE(overseas experience)라고 불렀다. 뉴질랜드 청

년들의 통과의례 같은 것이었고, 변호사라고 예외는 아니었다. 영연방 국가 대부분에서 인정되는 뉴질랜드 변호사 자격증 덕에 호주, 영국, 싱가포르, 홍콩 등의 나라에서 자유롭게 일할 수 있는 뉴질랜드의 3-4년차 변호사들은 외국 로펌에서 3-4년 정도 경험을 쌓은 뒤 다시 뉴질랜드로 돌아오거나 또 다른 나라로 옮겨서 일하곤 했다. 나 역시 변호사 생활 3년이 지나 일도 익숙해지고 하니 외국에서 일하고 돌아와야 하나, 아니면 다른 직종으로 옮겨야 하나 고민이 되기 시작했다. 인터넷에서 변호사 전용 취업 컨설턴트 회사를 찾아 이력서를 넣고 기다리고 있던 중 두바이에 있는 영국 로펌에서 해상 전문 변호사를 찾는다는 연락이 왔다. 연봉도 좋고 대우도 좋고 그쪽에서도 꽤 관심 있어 하는 눈치였다. 두바이로 와서 마지막 인터뷰를 하지 않겠냐는 제의를 받은 날, 부모님께 자초지종 설명을 드렸다. 공교롭게도 그때는 두 번째 걸프전이 발발했을 때였다. 엄마는 "전쟁터"에 딸을 보낼 수 없다고 말했다. 아무리 이라크하고 아랍 에미리트 연방은 다른 곳이라고 설명을 해드려도 엄마는 요지부동이었다. 엄마한테 중동은 다 중동이었고 전쟁 지역이었다. 엄마와 싸우고 두바이에 갈 만큼 변호사라는 직업에 미련을 가진 것이 아니었으므로 그러면 외교통상부 시험을 볼 테니 대신 붙으면 웰링턴 집 렌트비를 내달라고 네고를 했다. 공무원 월급으로 좋은 집을 렌트할 수 없다는 것 정도는 알았고, 돈 잘 버는 변호사 출신인 내가 구질구질한 좋지 않은 집에서 살긴 싫었다. 엄마는 그러겠다고 하셨고 진짜로 내가 한국으로 발령나기 전 1년 반 동안 웰링턴 아파트 렌트비를 내셨다. 그때는 몰랐지만 외교통상부 입사 후 11년이 지나서야 내가 변호사 때 벌었던 월급만큼 받을 수 있었다.

외교통상부 또한 정부기관이기 때문에 20여 년 공무원 생활을 하면서 관료주의에 회의를 느껴 다시 변호사로 돌아갈까 생각을 한 적이 몇 번 있었다. 그때마다 승진 또는 외국으로 발령이 나서 미루고 미루다 보니 변호사 생활을 그만둔 지도 어언 20여 년이 되어가지만 아직도 약간의 미련이 남아있을 정도로 변호사 생활은 즐겁고 적성에 맞았다. 비록 3년 반 정도의 짧은 변호사 생활이었지만, 그때 몸에 밴 시간을 효율적으로 사용하는 습관과 해결책 위주의 생각, 며칠 밤샘 작업도 마지않는 직업정신과 끈기 등은 외교관 생활을 할 때에도 큰 도움을 주었다. 세상에 쓸모 없는 공부는 없듯, 법에 대한 지식은 외교통상부에서 통상 업무를 맡을 때나 국제협상에 임할 때도 유용하게 쓰였다. 세상의 약한 자들을 돕는 일은 아니었지만, 많은 것을 경험하고 배우게 해 준 변호사 생활이었다.

뉴질랜드 변호사 임용식 / 2000년

In the High Court of New Zealand

Auckland Registry

M 1203/00

In the matter of the Law Practitioners' Act 1982 and its Amendments and the Rules and Regulations made thereunder and in the matter of an application by

Shee-Jeong Park

of Auckland, law graduate, a candidate for admission as a Barrister and Solicitor of the Court

Before the Honourable Justice Nicholson

Friday the 29th day of September 2000

Upon Reading the notice of application of the above named Shee-Jeong Park dated the 29th day of August 2000 and the affidavit of Sei-Joon Park and the affidavit of the said Shee-Jeong Park filed herein

And It Appearing that the said Shee-Jeong Park has attained the age of twenty years and has passed the prescribed examinations in general knowledge and law required by the Law Practitioners Act 1982

And Upon Hearing Kenneth Ah Kan Koo as counsel on behalf of the said Shee-Jeong Park,

This Court being satisfied that the said Shee-Jeong Park is duly qualified for admission as a Barrister and Solicitor of the Court and that she is of good character and a fit and proper person to be admitted as a Barrister and Solicitor of the Court and that she has taken the Affirmation on Admission prescribed by the abovenamed Act

Orders that the said Shee-Jeong Park be admitted as a Barrister and Solicitor of the Court.

By the Court

E Saunders

E Saunders
Deputy Registrar

Enrolled accordingly at Auckland this Friday the 29th day of September 2000

Shee-Jeong Park
5 Castleford Street
Green Bay
Auckland
(09) 817 3544

A certified true copy of the original.

A Solicitor of the High Court of New Zealand

NICOLE SH HEO
SOLICITOR
AUCKLAND

뉴질랜드 변호사 임명장 / 2000년

12

내 인생의 겨울

뉴질랜드로 돌아오는 비행기 속에서는 암울했다. 나는 원래 웰링턴에서 보내는 겨울을 좋아하지 않는다. 비바람에 비가 가로로 내리는, 음침하고, 으슬으슬하고, 눅눅한 겨울. '바람의 도시'라는 별칭으로 불리우는 시카고의 연평균 바람 속도 16.6km/h보다도 높은 웰링턴의 연평균 바람 속도는 22km/h였고 그래서 'Windy Wellington'이라 불렸다. 남반구인 뉴질랜드는 7-8월이 겨울이었고 겨울을 피해 임기를 12월에 마치는 것으로 조정해 놨는데 낭패였다. 제일 추운 달에 웰링턴에서 화학요법을 받아야 한다니. 내 신세가 처량했다. 캐서린 메이가 말하던 '내 인생의 겨울'이었다. 축구장에서 주전으로 활약하고 있다가 벤치로 밀려난 것도 모자라 라커룸으로까지 밀려나 텔레비전으로 축구경기를 보고 있는 왕년의 수퍼스타처럼 느껴졌다. 내가 다시 축구경기장에 설 수 있을까? 수술부위가 아직 완전히 낫지 않아 항공사에 도움을 청했더니 wheelchair service를 요청하는 것밖에 방법이 없다고 해서 사지 멀쩡함에도 불구하고 휠체어를 타고 비행기에서 내리니 내가 진짜 심각한 병을 앓고 있는 환자라는 사실이 각인되어 더 서글펐다. 공항에 마중 나온 남편과 아이의 얼굴을 보자 왈칵 하고 눈물이 쏟아졌다. 몇 달 사이 아이는 키가 더 자라 있었고, 이미 인터넷으로 유방암과 화학요법에 대해 공부를 다 한듯 치료받으면 괜찮아질 것이라고 의젓하게 나를 위로했다. 좋건 싫건 집에 무사히 돌아왔다는 안도감이 들었다. 다행히 도착한 날은 비가 오지 않아 집 근처 공원으로 산책도 나갈 수 있었다. 그러나 지금부터가 문제였다.

인구 40만의 작은 도시 웰링턴엔 한국 식당을 비롯한 아시안 식당들이 많이 없었다. 게다가 코비드가 여전히 기승을 부리는 겨울에 식당에 나가 먹을 자신도 없었다. 집에서 요리 당번은 남편이었고 요리도 잘 했지만 남편이 해주는 서양음식을 매일 먹으며 화학요법을 해야 한다니. 도저히 버틸 수 있을 것 같지 않아 오클랜드에 사시는 엄마에게 웰링턴으로 오실 수 있냐고 부탁을 드렸다. 엄마가 해 주시는 한국음식이라도 먹어야 살 수 있을 것 같았다. 내가 싱가포르에서 수술을 받는 동안 아무것도 해 주지 못해 동동거리기만 하셨던 엄마는 한달음에 달려오셨다. 팔순이 다 되신 엄마한테 딸내미 간병까지 부탁드리기 죄스러웠지만 엄마가 아직 건강하신 것에 감사했다. 딸만 둘을 키우신 엄마는 우리 자매가 요리를 못하는 것을 전혀 걱정하지 않으셨고 또 약간 자랑스럽게 생각하시는 것도 같았다. 우리가 태어난 70년대만 하더라도 여성의 사회진출이 보편적이지 않았고 엄마는 우리가 집에서 살림만 하는 걸 바라지 않으신 듯했다. "나는 부잣집에 시집가서 손가락에 물 퉁기며 살 거야."라고 언니는 늘 말했고 나는 "음식을 잘 하는 남자한테 시집가서 남편이 해주는 밥 먹고 살 테야." 그랬다. 그러면 엄마는 "그래라" 하셨고 우리의 입버릇대로 언니는 부잣집에 시집가서 도우미가 해주는 밥을 먹고, 나는 남편이 해주는 밥을 먹으며 살았다. '나도 부잣집에 시집간다고 그럴 걸' 하고 뒤늦게 후회도 했다. 남편이 정성껏 매일 저녁을 준비해 주었지만 몸이 아플 때는 늘 그러하듯 한식이 그리웠고, 엄마는 찬거리를 바리바리 싸들고 웰링턴 우리 집에 도착하시자마자 국을 끓이기 시작하셨다. 익숙한 냄새를 맡자 마음이 놓였다.

웰링턴에 도착해서 여독을 풀 사이도 없이 병원으로 직행해야 했다. 수술 후 비행을 할 수 있도록 싱가포르에서 몸을 회복하고 자카르타에서 짐을 싸고 준비하느라 시간이 많이 지체되어 화학요법을 최대한 빨리 시작해야 했다. 화학요법 첫날, 웰링턴 주립병원에서 화상으로만 만났던 종양 전문의를 처음 만났다. 나랑 동갑인 여의사는 친절하고 유능했다. 그녀는 나의 가장 큰 걱정을 단박에 이해했다. "내 아이가 당신 아들과 동갑입니다. 걱정 마세요. 수술은 무사히 끝났고 우리는 재발을 방지하는 모든 걸 하고 있는 겁니다. 최악의 경우 재발이 된다고 하더라도 아이가 대학을 졸업하는 걸 볼 수 있을 겁니다." 의사의 말에 눈물이 왈칵 쏟아졌다. 내 어깨를 보듬어주며 그녀가 다시 말했다. "그리고 솔직히 당신은 내가 걱정하는 환자 중 한 명은 아닙니다." 묘하게 안심이 되었다. "그리고 그 전에 눈부신 과학의 발전으로 암이 정복될 수도 있겠지요. 나는 앞으로도 45년을 더 살 겁니다." 하고 내가 말했다. 환하게 웃으며 그녀가 말했다. "좋습니다. 그런 마음가짐으로 치료에 임하세요. 그러면 90세까지 살 수 있을 겁니다." 그녀와의 만남은 늘 이런 식이었다. 내가 재발 가능성에 대해 조바심을 내면 그녀는 말했다. "당신이 집으로 가는 도중에 버스에 치어 죽을 확률이 재발 가능성보다 높다는 걸 기억하세요." 내가 음식에 대해 이것저것 물어보자 그녀는 답했다. "당신이 무엇을 먹거나 먹지 않아서 암에 걸린 것이 아닙니다. 건강한 식단을 유지하는 선에서 먹고 싶은 건 아무거나 드세요. 먹고 싶은 케이크를 먹지 못해 받는 스트레스가 몸에 더 안 좋습니다." 그녀는 권위적이지는 않았지만 자신감 있고 단호하게 얘기했다.

종양 전문의가 소개해 준 외과의 역시 친절하고 유능한 내 나이 또래의 레즈비언 여의사였다. 그녀 역시 나의 걱정을 이해하고 공감해 주었다. "당신이 잘못한 것은 아무것도 없습니다. 그저 운이 나빴을 따름이지요." 또 눈물이 쏟아졌다. 아무리 외국에서 오래 살았어도 내 머릿속에는 약간의 동양사상이 남아 있어서 이런 병에 걸린 건 내가 전생에 또는 이번 생에 지은 죄 때문이라는 생각이 있었던 모양이었다. "그렇게 따지면 아무 죄 없는 아이들이 암에 걸린 건 어떻게 설명하죠?" 하고 외과의가 물었다. 주립병원에서 소개해 준 정신과 의사 또한 젊은 여자였고 그녀 또한 친절했다. "당신은 건강했기 때문에 이런 큰 병에 걸렸을 때 어떻게 대처해야 할지 아직 배울 기회가 없었을 뿐입니다. 이제 방법을 서서히 배워가면 됩니다." 암이 내 인생을 지배하게 놔두지 말고 인생에서 대처해야 할 수많은 문제 중 하나로 여기라는 얘기였다. 투병 또한 배워서 잘할 수 있는 거라면 잘 할 자신이 있었다. 공부는 내 주특기니까. 그녀는 또 "암에 걸린 사람이든 걸리지 않은 사람이든 내일을 장담할 수 있는 사람은 아무도 없다는 걸 잊지 마세요. 당신은 이번 기회에 하루하루를 더 가치 있게 보내는 방법을 배우는 겁니다."라고 말했다. 추상적으로만 알고 있었던 우리는 모두 죽는다는 사실. 암 진단으로 인해 죽음은 더 이상 추상적이지 않았다. 그러자 그동안 열심히 살았던 내 자신에게 고마웠다. 비록 내가 원하던 모든 것을 이루지는 못하더라도, 잠재력인 채 끝나버릴 인생일지라도, 최소한 나는 내가 할 수 있는 한 최선을 다했다라고 얘기할 수 있는 삶을 살았고 그게 감사했다. 치료가 끝나고 제 2의 인생이 주어지면 앞으로는 더더욱 보람찬 삶을 살아야겠다는 다짐도 했다. 그리고 이 전문의들의 도움을 받아 최대한 죽음을 멀리 떨어뜨려야겠다 생각했다.

의사와 면담을 마치고 화학요법을 하는 방으로 갔다. 꽤 넓은 방엔 의자가 한 줄에 3개씩 있었고 방 한쪽에는 침대도 죽 늘어서 있었다. 방은 화학요법을 받는 사람들로 가득했다. 대부분 나이가 많은 사람들이었지만 나보다 젊은 사람들도 간혹 있었다. 이 사람들이 다 암에 걸린 사람들이란 말인가! 대부분 가족이나 친구와 같이 있었지만 혼자 온 사람들도 있었다. 나는 엄마랑 같이 있었는데 아들을 학교에서 데려오기 위해 남편이 일찍 떠났기 때문이었다. 간호사들은 친절했지만 일손이 많이 부족했는지 화학요법을 받기까지 한참을 기다려야 했다. 점심시간이 다가오자 Cancer Society의 자원봉사자가 샌드위치와 과일, 요거트를 나누어 주었다. 그동안 Cancer Society라는 곳에는 관심도 없었고 기부라고 해봤자 길거리에서 자원봉사자들이 파는 수선화를 몇 번 사준 게 전부인 나는 이것들을 받아도 되나 잠시 망설여졌다. 엄마도 샌드위치를 받아 드시더니 "앞으로는 Cancer Society에 기부 열심히 해야겠네"라고 하셨다. 나중에 알고 보니 Cancer Society는 무료 점심은 물론이고 무료 카운셀링, 서포트 그룹, 차가 없는 사람들을 위한 픽업 서비스, 병원 주차장 제공, 그리고 또 지방에서 치료하러 오는 사람들을 위한 무료 숙소 제공 등 여러 가지 서비스를 지원하고 있었고 이 모든 것들이 국민들의 기부로 이루어지고 있었다. '이래서 뉴질랜드를 선진국이라고 하는구나'라는 생각이 들며 그동안 내 앞가림만 하고 살았던 게 부끄러웠다.

점심을 먹고 나니 드디어 내 차례가 왔다. 머리끝부터 발끝까지 우주선 복장으로 무장을 한 간호사가 두 명의 간호사들과 함께 와서 내 이름, 내가 받을 치료, 약물 이름 등을 꼼꼼하게 확인했다. 혼자 하면 혹시라도 실수가 있을까 봐 꼭 두세 명이 같이 한다고 했다. 나 같은 경우는 화학요법을 받는 게 처음이라 세 명이 같이 온 거라고 했다. 꼼꼼하게 일을 하는 것은 좋았지만 얼마나 위험한 약이길래 이렇게 조심하는지 걱정이 스멀스멀 올라왔다. 수술한 왼쪽 팔엔 맞지 못하니 오른쪽 손등에 맞는 수밖에 없었다. 손등에서 시작해야 나중에 손등에 있는 혈관이 망가졌을 때 팔 위로 올라갈 수 있다고 했다. 혈관을 망가뜨릴 정도로 독한 약을 내 몸에 집어넣는다니. 너무 무섭고 속상했다. 약은 두 개를 맞았는데 하나 맞는데 한 시간 정도 걸리고 약이 끝날 때마다 15분 동안 소독을 해서 2시간 30분 정도 걸렸다. 약을 넣고 처음 10분간은 간호사가 옆에서 기다렸다. 가끔 부작용이 크게 나는 환자들도 있어서 대기 중이라고 했다. 다행히 나는 큰 부작용은 없었고 약은 수월하게 들어갔다. 감사했다. 약을 맞는 동안 넷플렉스 비디오를 보려고 했는데 정신을 집중할 수가 없었다. 그래서 그냥 마음이 편안해지는 명상 음악을 들으며 숨을 고르려 애썼다. 처음에는 무서워서 벌벌 떨렸는데 두 번째, 세 번째부터는 그래도 좀 익숙해졌는지 그때 한참 인기리에 방영하던 '우영우 변호사' 드라마를 엄마와 함께 보면서 약을 맞았다.

무사히 첫 화학요법을 마치고 집에 돌아와서는 소파에서 곯아떨어졌다. 전날 밤 긴장해서 잠을 제대로 못 잔 탓도 있었다. 화학요법 후 처음 며칠 동안은 아이도 안아주지 말고 화장실도 따로 쓰라고 했다. 내 몸에 독극물을 넣은 거구나…. 빨리 빠져나갔으면 싶어서 열심히 물과 국을 마셨다. 땀을 흘리는 것도 디톡스에 좋다고 했는데 웰링턴 추운 겨울에 땀을 내기는 너무 힘들었다. 화학요법 전날 이미 간호사가 집으로 찾아와서 약을 한 봉지나 놓고 갔다. 혹시 있을 부작용들에 대비한 약들이었다. 커다란 약봉지를 보니 마음이 착잡해졌지만 한편으로는 약들이 집에 있으니 좀 안심이 되었다. 화학요법 후 이틀 동안은 먹어야 할 약도 많았다. 화학요법 부작용은 처음엔 별로 없다고 얘기를 들었는데 그래서인지 아니면 스테로이드의 힘인지 처음 이틀은 좀 피곤한 것 빼고는 견딜 만했다. 그러다 설사를 시작했는데 이게 멈추지 않았다. 하루에 10-12번씩 화장실을 가다 보니 잠도 제대로 잘 수가 없었고 온몸이 탈진 상태가 되었다. 약을 먹어도 소용이 없었다. 이래서 사람들이 항암치료하다 죽는구나 하는 생각이 들 정도였다. 이제 겨우 화학요법 한 번 했는데 앞으로 3번은 어떻게 견딜지 걱정이 앞섰다. 화장실에서 5초 이상 떨어진 곳엔 가지 못했고 의사를 보러 가기에도 겁이 나서 남편한테 어른용 기저귀를 사다 달라고 했다. 혹시라도 응급실에 가게 되면 가는 길에 실수할 것 같아서였다. 한 일주일쯤 지나자 설사가 멈추기 시작했고 다행히 기력도 조금씩 회복되었다. 그러나 다른 부작용들이 나타나기 시작했다. 소금과 베이킹소다를 섞은 물로 매일 몇 번씩 가글을 했음에도 불구하고 입안이 헐기 시작했다. 온몸이 가려웠고 손톱 발톱이 아파왔다. 눈도 쉬 피곤해졌다. 그리고 2주가 지나자 머리가 빠지기 시작했다.

이미 화학요법 시작 전에 긴 생머리를 2cm 정도로 박박 밀어버린 상태였지만 그래도 머리가 우수수 빠지자 눈물이 났다. 샤워를 하고 머리를 털면 샤워장 바닥이 까맣게 변할 정도로 머리가 많이 빠졌고 그걸 치울 엄두가 안 나서 남편에게 샤워장 청소를 부탁하며 울곤 했다. 지난 십 수년간 트레이드 마크처럼 하고 있던 긴 생머리가 좀 지겹기도 했지만 그래도 자의가 아닌 타의로 머리를 밀게 되자 내 긴 머리가 몹시도 그리웠다. 머리가 빠지기 시작하자 내가 암 환자라는 사실이 외관상으로 확실히 나타났다. 샤워를 하기 전 거울 앞에 서면 도려낸 왼쪽 가슴의 커다란 상처, 갈비뼈까지 드러난 앙상한 몸매, 머리가 듬성듬성 빠진 몰골 때문에 꼭 홀로코스트에서 살아남은 유대인 피해자 같았다. 그때까지는 마음을 굳게 먹고 씩씩하게 잘 견디고 있었는데, 외관상 암 환자로 변하고 나자 갑자기 온몸과 마음이 다 아픈 것 같았다. 엎친데 덮친 격으로 화학요법 치료를 한 경험이 있는 친구들이 화학요법 부작용은 횟수를 거듭할수록 더 심해지니까 마음 굳게 먹으라고 얘기해 주었다. 아니, 이것보다 부작용이 더 심하면 어떻게 살라는 말인가. 눈 앞이 깜깜해졌다.

그나마 다행인 건 머리가 빠지기 직전 가발을 맞췄다는 거였다. 뉴질랜드 정부에서는 암 환자들에게 가발 값을 지원해 주었고 또 유방절제술을 한 환자들에게는 유방보형물 값도 지원해 주었다. 그동안 39%인 뉴질랜드의 소득세가 높다고 투덜거렸던 나는 이번에 이렇게 혜택을 받으면서 앞으로는 군말없이 세금을 따박따박 내야겠다는 다짐을 했다. 가발 가게에 가서 머리숱이 적어 평생 할 수 없었던 보브 스타일의 가발을 골랐다. 암 걸려서 좋은 점도 있다고 속으로 생각했다. 십수 년간 긴 머리를 해오다 갑자기 머리가 없어지니 아닌 게 아니라 샤워하기가 너무 편했다. 머리 감기도 편하고 말리는 것도 너무 쉬웠다. 머리가 다시 나도 기르지 말고 짧은 머리로 지내면서 기분 전환용 긴 가발을 몇 개 장만하면 어떨까 하는 생각이 들 정도였다. 세상 모든 일처럼 처음에는 가발을 쓰는 게 쉽지 않았다. 특히 가발을 쓴 뒤 안경을 써야 할 때는 귓가에 걸려 힘들었다. 거기다가 마스크까지 착용해야 하니 귀가 혹사당하는 것 같았다. 겨울이었기에 특별한 날을 제외하고는 가발을 쓰지 않고 비니 모자를 꾹 눌러쓰고 다녔다. 머리가 계속 빠지고 있었으므로 잘 때도 모자를 쓰고 눕지 않으면 그 다음 날 아침에 침대 청소를 해야 했다. 모자 몇 개와 인도네시아에서 선물로 받은 스카프 몇 개를 돌려가며 쓰고 지냈다.

어렸을 때는 가슴이 작은 것이 불만이었는데 유방암 수술을 하고 나자 가슴이 작은 게 오히려 장점처럼 느껴졌다. 가슴이 컸던 동료 중 하나는 유방암 수술 후 두 가슴의 차이가 너무 많이 날 것을 우려해 멀쩡하던 다른 쪽 가슴도 도려냈다고 했는데 나는 유방보형물을 넣지 않고 그냥 보통 브라만 해도 수술을 한 티가 거의 나지 않았다. 좀 헐렁한 옷을 입으면 브라를 하지 않고도 수술 한 티가 나지 않아서 편했다. 한국사람 치고도 가슴이 작은 나에게 맞는 유방보형물이 뉴질랜드에는 없어서 주문을 하고 몇 주간 기다려야 했다. 다른 유방암 환자들은 평상시 쓸 수 있는 보형물과 수영할 때 쓰는 보형물을 따로 구입한다고 했는데 나는 그냥 수영할 때 쓰는 보형물만 구입해서 보통 때도 쓰겠다고 했다. 아무리 보형물 값을 지원해 주어도 가격이 만만치 않았으므로 '가슴이 작아서 돈 굳었네' 하고 속으로 혼자 생각하며 좋아했다.

화학요법 부작용으로 피부도 가렵고 눈도 아팠으므로 화장을 할 수도, 렌즈를 낄 수도 없었다. 화장기 없는 맨 얼굴은 알레르기 증상으로 울긋불긋 했고, 거기에 안경을 뒤집어쓰고 모자나 스카프를 두르고 있으니 외모에 대한 자신감은 떨어질 수밖에 없었다. 나는 외모에 별로 신경을 쓰지 않는 사람이었다. 예쁜 언니를 가진 덕에 친척들은 늘 "첫째는 예쁘고 둘째는 귀엽다"고 하셨고 나중에 뉴질랜드 이민 초기 살이 갑자기 20kg 불었을 적에는 "첫째는 예쁘고 둘째는 건강하다"로 바뀌었기 때문에 외모를 중시하지 않는 법을 일찍 배웠다. 서울에서 우리는 여의도에 살았는데 방송국 근처에 살다 보니 친구들 부모님 중 방송국에서 일하시는 분들이 몇 분 계셨다. 그때 당시 PD로 일하시던 친구 아버님한테 "옆집 아줌마가 저보고 (고무줄 할 때 노래하는 목소리가 짜랑짜랑하니까) 아나운서 하면 좋겠다고 하시던데 어떻게 생각하세요?" 하고 넌지시 여쭈어 봤다. 내 얼굴을 쓱 보시고는 친구 아버님이 말씀하셨다. "그래, 그럼 우선 코를 고치고 턱을 깎은 후 생각해 보자." 그 말에 놀라서 줄행랑을 친 나는 어린 나이부터 외모가 아닌 공부로 승부를 걸어야 한다는 걸 알고 있었다. 그런데 머리도 듬성듬성 빠지고 한쪽 가슴도 없어지고 내 자신을 전혀 꾸밀 수 없는 상황이 되자 별것 아니라 생각했던 내 외모가 나의 자신감에 얼마나 큰 역할을 해왔는지 깨닫게 되었다. 아침에 일어나 거울 보는 것이 두려울 정도였다. 내가 뉴질랜드에 돌아왔다는 소식을 들은 친구들이 만나자고 연락을 해 왔지만 나는 화학요법 때문에 몸이 안 좋으니 치료 끝나고 만나자며 사람들을 피했다. 이런 엉망인 내 모습을 다른 사람들에게 보여주기 싫었다. 내 주변의 다른 사람들이 다들 열심히 앞으로 나아가고 있을 때 나 혼자 아무것도 안 하고 뒷걸음질 치고 있다는 불안감 때문에 더 사람들을 만나기가 싫었고, 그렇게 집에만 처박혀 있으니 하루하루를 견디기가 더 힘들었다. 암울한 시간이었다.

13

칠천겁의 인연

,

내가 결혼한 사람은 대부분 한국사람들이 말하는 '절대로 결혼하지 말아야 할 사람' 리스트에 몇 번이고 이름을 올릴 만한 사람이었다. "우리 아빠가 나보고 결혼하지 말라고 한 사람 리스트는 창피해서 밖에 나가선 얘기도 못할 정도야."라는 친구의 말이 생각났다. 집안마다 조금씩 다르겠지만 그때 그 친구가 잠깐 나열했던 리스트에는 맏아들, 외아들, 경상도 또는 전라도 남자, 물이나 술 파는 집, 개천에서 용 난 사람, 3대 이상 독자, 천방지축 성씨, 대학교육을 못 받은 부모, 홀아버지나 홀어머니 밑에서 자란 남자, 전과자, 이혼남, 불치병이 있는 형제자매 등이 있었다. 그것도 모자라 또 다른 리스트가 있었는데 그건 이런 거였다. 여자보다 교육을 덜 받거나 나쁜 대학을 나온 남자, 여자보다 연봉이 적은 남자, 여자네 집안보다 안 좋은 집안의 남자, 여자보다 키가 작은 남자 등등. 이 리스트 대로라면 대한민국에서 나랑 결혼 할 수 있는 남자는 넉넉잡아 한 20명 정도 되는 것 같았는데 그들은 이미 나보다 더 젊고 예쁘고 상냥한 아가씨들과 결혼한 것이 거의 확실했고, 그렇게 때문에 내가 이른바 '블랙리스트'에 오른 남자와 결혼하는 건 별로 아까워 하거나 속상해 할 일이 아니었다. 그렇지만 내가 결혼하고 싶은 사람은 나보다 21살이나 많았고, 전 부인과의 사이에 아이도 둘 있는 외국인 이혼남이었다. 아무리 외국에서 오래 살았고 남의 눈을 신경 안 쓴다고 해도 한국 정서를 완전히 무시할 순 없었다. 부모님께 허락을 못 받을 건 불 보듯이 뻔했다.

외향적이던 나는 남자친구도, 남자 사람 친구도 많았다. 그렇기에 어떤 사람이 나와 잘 맞고 어떤 사람이 안 맞는지에 대해 꽤 자세히 알고 있었다. 내가 결혼하고 싶은 사람은 나와 같은 외교관이라 내 일을 속속들이 잘 알고 있었는데 몇 년에 한번씩 가족과 이 나라 저 나라 옮겨 다녀야 하는 직업을 가진 나에게 이것은 아주 중요한 요소였다. 또 이 사람은 가치관을 비롯해 많은 면에서 나와 잘 맞는 사람이었다. 성격이 급한 나를 잘 받아주는, 이해심 많고 마음이 바다와 같이 넓은 사람이었다. 지기 싫어하는 내가 쓸데없는 일에 고집을 부려도 허허허 잘 넘어가 주는, 자존감이 높아서 자존심을 세우지 않아도 되는 사람이었다. 무엇보다 나는 내가 존경할 수 있는 그럼 남자랑 결혼하고 싶었는데 이 사람은 내가 아는 가장 박식한 사람 중 한 명이었다. 지금 생각해보면 나는 40대 남자들이 좋았던 것 같다. 세상 풍파도 겪을 만큼 겪고 인생 경험도 쌓일 만큼 쌓였으나, 아직 왕성한 사회활동을 하는 40대의 남자들. 그래서인지 지금은 내 또래 남자들도 멋있어 보이는 남자들이 많은데 내가 20대 때는 내 나이 또래 남자들은 대부분 건방지거나

가소로워 보였다. 그래서 생각해 낸 방도 중 하나는 나랑 대충 '사회적으로' 맞는 남자랑 결혼을 해서 한 1년 정도 살다가 이혼을 하고 나서 이 사람이랑 재혼을 하면 되지 않을까, 하는 거였다. 나도 이혼녀가 되면 이혼남이랑 결혼한다고 해도 괜찮지 않을까. 그러나 그건 너무나 많은 사람들에게 상처를 주는 방법이었다. 아무것도 모르고 나랑 결혼을 하게 될 그 불쌍한 남자를 포함해서. 관건은 남이 보기 좋은 결혼을 하느냐, 아니면 내가 좋은 결혼을 하느냐였다. 그리고 결론은 후자일 수밖에 없었다.

사지 멀쩡한 딸이 애 둘 딸린 나이 차 많이 나는 이혼남이랑 결혼을 한다고 하니 부모님은 당연히 반대를 하셨다. 그 사람이 뉴질랜드 대사를 세 번이나 했고 내 안위를 자신의 그것보다 먼저 생각한다는 것 따위는 별로 중요하지 않아 보였다. 그러나 여태껏 한다고 한 것은 꼭 해내고 마는 나를 지켜봐 오신 부모님은 반대를 하시면서도 결국 내가 원하는 대로 일이 진행될 것이라는 걸 알고 계신 듯했다. 그리고 아마 결혼하기 힘들 것 같은 내 직업과 성격도 한 몫 했으리라. 내가 법대에 가겠다고 처음 부모님께 얘기했을 때 아빠는 말씀하셨다. "여자가 변호사가 되면 결혼하기 힘들 텐데…." 나는 그때 딸만 둘 가진 아빠가 21세기에 하실 말씀은 아닌 것 같다고 쏘아붙였다. 그 후 내가 박사과정을 밟겠다고 하자 아빠는 또 걱정하셨다. "여자가 박사학위를 따면 결혼하기 더 힘들 텐데….” 그리고 내가 외교관이 되겠다고 하자 아빠는 말씀하셨다. “그래, 너는 결혼하지 말고 훌륭한 사람이 되거라.” 그래서였을까. 부모님은 더 이상 반대를 하지 않으셨고 결혼 후에도 ‘어려운 사위’를 살갑게 대해주셨다.

결혼을 하기로 하니 떠오르는 생각이 여러 가지 있었는데 그 중에 하나는 부조금이었다. 부조금이라니…. 내가 싫어하는 한국의 풍습 중 하나 아닌가? 이런 것 때문에 나라가 망한다 얘기할 때마다 단골로 등장하는 부조금. 그런데 그 와중에 나와 우리 부모님이 한국 뉴질랜드 호주 미국 등지에 수없이 뿌려놓은 부조금이 떠올랐다. 이 부조금들을 회수하기 가장 좋은 방법은 부모님의 지인들이 많은 한국과 뉴질랜드에서 두 번 결혼식을 하는 거였다. 문제는 내가 내 결혼식에 초대하고 싶은 친구들은 한국, 뉴질랜드 외에도 호주, 미국, 영국, 싱가포르 등 뿔뿔이 흩어져 있어서 그 어디서 결혼식을 해도 이 친구들이 쉽게 올 수 있는 것은 아니라는 것이었다. 그리고 한국에서든 뉴질랜드에서든 한국사람들을 초대하면 애 딸린 이혼남과의 결혼식을 축하해 줄 것 같지 않았다. 그래서 부조금에 대한 미련을 접기로 했다. 그리고 가족끼리 조촐하게 결혼식을 하기로 했다. 필리핀 대사였던 남편이 좋아하던 세부의 한 리조트에서 부모님, 언니, 그리고 남편의 두 아이들만 초대한 ‘스몰 웨딩'을 하기로 했다. 한국에서 스몰 웨딩이 유행하기 전이었으나 나는 남을 위한 결혼식보다는 나를 위한 결혼식을 하고 싶었다. 마드리드 웨딩샵에서 본 웨딩드레스들은 너무나 세련되고 아름다웠지만 가격 또한 만만치 않았다. 반나절 입을 옷 때문에 그 돈을 쓰고 싶진 않았다. 그래서 구석에 있는 은색 들러리 옷 중 80% 왕창 세일하는 옷을 하나 사서 내 몸에 맞게 재단해 입었더니 그럴싸했다. 머리와 화장은 리조트에 있는 미장원에 맡겼고 사진 기사도 현지 조달했다. 한번 보고 안 본다는 결혼식 앨범은 안 만들기로 했다. 손재주가 좋은 언니가 좀 촌스럽게 나온 화장도 매만져주고 내 맘에 드는 사진들도 찍어주었다. 결혼식 후에는 바닷가에서 온 가족이 함께 샴페인을 마시고 아름다운 석양을 보며 저녁을 먹었다. 그리고 온 가족이 세부의 리조트에서 일주일간 휴가를 보냈다. 부조금이 생각나지 않은 작지만 완벽한 결혼식이었다.

"그렇게 왕자님과 공주님은 결혼을 해서 행복하게 잘 살았습니다."라고 끝맺음을 하는 동화들이 얘기해 주지 않는 것은 "행복하게 잘 살았습니다"가 얼마나 힘든 것인가에 관해서다. 연애와 결혼은 환상과 현실이 다른 것처럼 다르다는 얘기를 많이 듣고 읽었지만 그래도 우리는 다를 줄 알았다. 수많은 반대와 역경을 무릅쓰고 결혼한 운명의 부부니까! 그러나 좀 살아보니 우리 역시 남들과 같았다. 다른 환경에서 다른 생활 방식으로 살아오던 두 사람이 같이 살아야 하니 사사건건 부딪칠 일들이 많았다. 치약 짜는 방법이 달라 이혼했다는 얘기가 그냥 웃어 넘길 게 아니었다. 신혼 초기에는 괜찮던 일도 시간이 좀 지나자 뱃속 깊은 곳에서부터 올라오는 분노를 유발했다. 대표적인 예는 이삿짐 정리다. 직업상 우리는 이사를 많이 다녔는데 처음 이사를 같이 한 날 남편은 신기하게도 미술품들과 스테레오를 제일 먼저 풀었다. 그러더니 자기가 원하는 곳에 미술품들을 걸어놓고 자기가 좋아하는 바흐의 첼로 콘체르토를 틀고 샴페인 한 병을 열며 말했다. "이리 와서 축배를 들자고. 우리가 앞으로 함께 살 이 집을 즐기는 거야." 그때 나는 감동을 했다. 아, 어떻게 이렇게 낭만적이고 세련된 사람과 내가 결혼을 했을까. 그러나 두세 번 이사를 하면서 남편의 이런 습관에 슬슬 짜증이 나기 시작했다. "부엌에 풀어야 할 박스가 20개가 넘는데 지금 샴페인이나 마실 정신이 있어?" 성격이 느긋하고 세상 급한 일 없는 남편에 비해 '빨리빨리' 한국인인 나는 모든 짐을 하루 안에 다 정리해야 직성이 풀리는 스타일이어서 이삿짐 정리의 90%는 내가 하는 것 같았고 그래서 분노가 폭발했다. 남편 입장에서는 어리둥절할 수밖에. 여태껏 매번 해왔던 일을 똑같이 했는데 나의 반응은 180도 변해버렸으니. 입장 차가 있을 때마다 나는 통곡을 했다. 내가 당신과 결혼하려고 얼마나 많은 걸 포기했는데. 그 많은 반대를 무릅쓰고 부모님을 실망시키며 당신만 보고 결혼을 했는데 어떻게 나한테 이럴 수 있어. 마음이 여리고 측은지심이 많은 남편은 내가 통곡을 할 때마다 옆에서 가만히 나를 토닥여주었지만 이 레퍼토리가 계속되자 차분하게 말했다. “당신이 나랑 힘든 결혼을 했다는 것 때문에 평생 당신 앞에서 무릎을 꿇고 살 수는 없어.” 아, 그랬다. 결혼생활은 둘이 같이 노력해도 힘든 것이었고 한 명에게만 희생을 강요하면 유지할 수 없는 것이었다. 고집불통 떼쓰던 나는 그렇게 서서히 철이 들어갔다.

외국인과 결혼해서 좋은 점도 많았지만 (그중 하나는 시댁 걱정을 안 해도 된다는 거였다!) 생각지도 않게 불편한 점들이 생겼다. 그 중 하나는 음식이었다. 보통 때는 서로서로 맞춰가며 먹었는데 몸이 피곤하다던지 여행에서 막 돌아와서 간단히 요기를 하고 싶을 때 우리가 원하는 음식, 다시 말해 ‘comfort food’가 너무 달랐다. 나는 그냥 계란후라이에 간장 참기름 넣고 쓱쓱 밥 비벼 김치 해서 먹으면 딱 좋을 것 같을 때 신랑은 식빵에 피넛 버터를 바른 샌드위치를 먹고 싶어했다. 주말에 만난 한국인 친구 부부가 “우리 귀찮은데 짜장면이나 시켜 먹을까” 하고 말하는 게 너무 부러웠다. 또 하나는 저녁에 한국드라마를 같이 볼 수 없다는 거였다. 남편이 드라마 보는 걸 좋아하지 않아서 이기도 했지만 아무리 자막이 있어도 맛깔나는 한국어 대사를 정확하게 번역하는 건 쉽지 않은 일이어서 내가 받은 감동을 함께 나눌 수 없는 게 안타까웠다. 그나마 다행이었던 건 육아에 대한 인식이 우리 둘 다 비슷했던 거였다. 뉴질랜드 사람들은 아이의 자립심을 기르는 걸 중요하게 여겨서 애를 하루 종일 끼고 사는 한국인 정서를 잘 이해하지 못하는 경우가 많았는데 신기하게도 남편은 애를 애지중지 여겨서 아이가 우는 것을 절대 참지 못했다. 지금도 이것에 대해 참 감사히 여기는데 만약 육아에 대한 인식이 달랐으면 아이를 사이에 두고 세계 전쟁이 몇 번 날 수도 있었을 것 같아서다. 아이를 낳고 나서는 남편의 존재가 더욱 중요해졌는데 이 세상에 나만큼, 아니 나보다 더 우리 아이를 사랑해 줄 사람은 남편밖에 없다는 깨달음에서였다. 애 때문에 싸우고, 애 때문에 살고… 옛말 틀린 것 하나 없었다. 특별할 줄 알았던 나의 결혼생활은 결국 아주 보통의 결혼 생활이었던 것이다. 평범한 사람 되는 것이 어렵듯 평범한 결혼생활을 유지하는 것 또한 어려운 일이었다.

결혼을 결심하기 전 서울에 있는 뉴질랜드 대사관에서 정치담당 서기관으로 일할 때 주변에서 좋은 남자를 소개해 주겠다는 분들이 적잖이 있었다. 그래서 그런 자리에도 몇 번 나갔는데 조건 좋고 잘생긴 남자들을 보며 자꾸만 이런 생각이 들었다. 내가 지금 좋은 직업을 가지고 있는 건강하고 젊은 여자라서 이 남자가 나한테 관심을 보이는 것 같은데 만약 내가 사고가 나던지 병에 걸려서 모든 걸 다 잃어도 이 남자가 내 옆에 있어줄까? 자신이 없었다. 딱 한 명 예외가 있었는데 그게 지금 우리 남편이었다. 암 투병을 하면서 옆을 묵묵히 지켜주고 아이를 살뜰하게 보살펴주는 남편의 중요성을 다시 한 번 느끼게 되었다. 영어에 "Familiarity breeds contempt (익숙함은 경멸을 낳는다)"라는 말이 있다. 늘 옆에 있어 당연하고 하찮게 여겼던 남편의 존재가 암이라는 큰 시련을 겪게 되자 감사함으로 바뀌었다. 나는 불교신자는 아니지만 칠천겁의 인연으로 부부가 된다는 말을 좋아한다. 그 무량한 시간 동안 맺어온 인연을 더더욱 소중히 여겨야겠다고 다짐을 하게 되는 요즘이다.

필리핀 세부 리조트에서의 조촐한 결혼식 / 2010년

14

희망의 씨앗

두 번째 화학요법 시간이 다가오면서 나는 점점 불안해졌다. 저번처럼 부작용이 심하면 어떡하지? 우연히 그때 몇 명의 친구들이 메시지를 보내주었는데 모두 단식 모방 식단(fast mimicking diet)에 관한 기사와 비디오들이었다. 화학요법 이틀 전, 화학요법 당일, 그리고 화학요법 후 며칠간 하루에 300칼로리 이하 음식을 먹어 몸으로 하여금 '전시상황'이라고 느끼게 하여 세포 분해 속도를 늦추는 게 단식 모방 식단의 목적이라고 했다. 화학요법은 분해 속도가 빠른 세포들만 공격하므로 단식 모방 식단을 따르면 내 몸의 다른 정상세포들은 화학요법 부작용을 덜 받는다는 이론이었다. 먹는 것을 좋아하고 신진대사가 빠른 나는 한번도 단식을 해본 적이 없었다. '삼시세끼밥'을 중시하는 부모님 밑에서 자란 나는 아플수록 잘 먹어야 한다고 굳게 믿고 있었다. 하지만 첫 번째 화학요법 후 겪은 부작용들을 다시 겪고 싶지는 않았다. 밑져야 본전이라는 생각으로 단식 모방 식단을 해보기로 했다. 웰링턴으로 내려와 내 병수발을 해주시던 엄마는 기겁을 하셨다. 화학요법 당일 의사를 만나서 내가 단식 좀 못 하게 막아달라고 부탁하실 정도였다. 담당의는 지금 내 상태로는 단식을 못 할 이유가 없으며 내가 단식을 함으로써 화학요법을 더 잘 견딜 수 있다고 믿는다면 그렇게 하는 것도 나쁘지 않다고 말했다. 나는 한번 해보기로 했다. 엄마가 끓여주신 국이랑 오이, 당근, 호두, 올리브, 방울 토마토만 먹으며 이틀을 견뎠다. 먹고 싶은 것을 못 먹자 음식에 대한 집착은 더욱 심해져서 나는 침대에 누워 음식 사진들을 보며 시간을 보냈다. 많이 못 먹으니 힘도 없어서 뒹굴뒹굴 누워 지냈다. 화학요법 당일까지 이런 단식 모방 식단을 따랐고 그 후에는 너무 힘들어 조금씩 음식을 다시 먹기 시작했다.

단식 모방 식단 덕분인지 아니면 스테로이드를 조금 더 오래 먹어서인지 두 번째 화학요법 후에는 설사도 없었고 머리도 더 이상 빠지지 않는 듯했다. 처음부터 단식을 했으면 머리가 하나도 빠지지 않았을까, 궁금했으나 우선 눈썹과 속눈썹이 빠지지 않는다는 것에 감사했다. 설사를 제외하고 처음 화학요법을 했을 때 나타났던 부작용들이 다시 고스란히 나타났지만 다행히 며칠이 지나자 서서히 없어져갔다. 화학요법을 하면 식욕이 많이 떨어진다고 했는데 다행히 나는 그렇지 않았고 오히려 하루에 네다섯 끼를 먹을 정도로 왕성한 식욕을 보였다. 문제는 먹고 싶은 음식을 엄마가 해 주셔도 화학요법의 부작용으로 음식 맛이 이상하게 느껴진다는 거였다. 모든 음식에서 금속 맛이 났다. 며칠째 먹고 싶었던 음식을 한 입 넣었는데 내가 알고 있는 그 맛이 아닐 때의 실망감이란! 가뜩이나 삶의 반

경이 점점 줄어들어 먹는 것이 거의 유일한 즐거움이었던 시기에 나타난 부작용이라 더 힘들었다. 연초에 코비드에 걸렸을 때 후각과 미각을 완전히 잃은 적이 있었는데 그때와는 또 달랐다. 음식 맛이 영영 돌아오지 않으면 어쩌지, 걱정했지만 다행히 한 열흘이 지나자 금속 맛이 서서히 사라졌다. 잘 먹었음에도 불구하고 식단을 바꿔서인지 스트레스를 받아서인지 암 진단 후 7kg 정도 빠진 몸무게는 돌아오지 않았다.

먹고 싶은 걸 못 먹고 친구들도 안 만나고 집에만 있으니 나는 점점 우울해져 갔다. 게다가 매일 비바람이 쳐서 산책을 나갈 수도 없었고 히터를 하루 종일 틀어도 집안이 너무 추웠다. 화학요법 부작용들 때문에 몸도 안 좋고 잠도 잘 못 잤다. 그러자 신경이 예민해져서 작은 일에도 화를 내게 되었다. 정신과 상담을 받으며 이런 나에게 짜증이 난다고 털어놓았다. "암에 걸리기 전에는 무엇을 하는 게 즐거웠나요?", 의사가 물었다. 한번도 생각해 본 적이 없던 질문이어서 곰곰이 생각하다 친구들과 만나 수다 떨고 맛있는 것을 먹는 일, 산책, 수영, 농구, 요가 같은 운동을 하는 일, 가족 또는 친구들과 하는 여행, 성악 연습, 피아노 연습, 독서 등 취미 생활을 하며 시간을 허투루 보내지 않고 바쁘고 알차게 하루를 보내는 걸 좋아했다고 답했다. "그럼 그것들을 다시 해보면 어떨까요?" 하고 의사가 조심스레 제의했다. 생각해보니 내가 우울한 이유 중 하나는 소중한 시간을 낭비하고 있다는 불안감 때문이었다. 내 얘기를 듣고 의사가 말했다. "지금은 낭비하고 있는 시간이 아닙니다. 병마와 싸우며 건강을 되찾는 중요한 시간이지요." 그랬다. 내 자신이 스스로를 더 불행하게 만들고 있는 것이었다. 나는 지금은 건강을 회복하는 것에 집중하는 게 중요하다고 스스로를 타일렀다. 아이를 낳고 2년 반 동안 휴직을 하면서도 시간을 낭비한다는 생각에 불안했던 기억이 났다. 그때 남편이 내게 했던 말, 은퇴 후 하고 싶은 일들을 지금 해보라는 말이 생각났다. 그래서 조금씩 조금씩 내가 할 수 있는 일들을 다시 하기 시작했다. 수술부위가 많이 나았으므로 아침에 일어나 명상 후 요가를 다시 하기 시작했다. 러닝 머신을 사서 비 오는 날에도 매일 한 시간씩 넷플릭스 드라마를 보며 걷기 시작했다. 자카르타에서 화상으로 성악을 배우고 있었다가 싱가포르로 떠나면서 그만두었는데 그것도 다시 시작하고 성악 시험 날짜를 잡아 본격적으로 연습을 시작했다. 피아노도 다시 매일 치기 시작했다. 그리고 여러가지 생각으로 복잡해진 머릿속을 정리하려 글을 쓰기 시작했다. 이렇게 '하루에 행복을 부여하는 한 조각이 어디에 있는지'[9] 찾아가기 시작하며 나는 서서히 다시 내 삶의 중심을 잡기 시작했다.

---

[9] 프랭크 브루니, "상실의 기쁨".

자카르타에서 급하게 돌아오느라 웰링턴 외교통상부 본부에 내 자리는 없었다. 일을 다시 시작하고 싶었지만 풀타임으로 하는 건 무리일 듯했다. 다행히 전에 같이 일하던 상관에게 연락했더니 나에게 알맞은 파트타임 일이 있을 것 같다며 서류 준비를 할 시간을 좀 달라고 했다. 20여 년을 외교통상부에서 일한 덕분에 병가가 100일 넘게 있어서 일을 하지 않고 있음에도 월급이 따박따박 나와 감사했다. 두 번째 화학요법을 끝내고 한 2주 후부터 통상부 특별고문으로 일을 시작해도 좋다는 연락을 받았다. 비록 회사에 나가지는 않고 집에서 일을 하는 거였지만 어딘가에 소속해 있다는 기분이 좋았다. 나는 내 암 투병 소식을 숨기지 않았다. 내 소식을 들은 옛 동료들이 많이 연락을 해 와 커피라도 마시자고 했는데 화학요법으로 면역력이 많이 떨어져 있고 내 몰골도 너무 볼품이 없어서 치료 끝나고 만나자고 했다. 처음에는 일주일에 이틀 일하다가 일하는 날을 서서히 늘려나가 화학요법이 끝날 때쯤에는 거의 풀타임으로 일을 할 수 있었다. 일을 하는 동안에는 암에 대한 생각도 많이 안 나고 뭔가 유용한 일을 하고 있다는 생각에 우울감이 많이 사라진 듯했다.

조금 자신감이 생긴 나는 의사와 상의 후 오클랜드에 엄마와 가기로 결정했다. 웰링턴보다 한국음식 및 다른 아시안 음식을 더 쉽게 먹을 수 있어서였고, 또 한겨울에 웰링턴보다 오클랜드가 조금 더 따뜻했기 때문이었다. 화학요법 후 약 일주일이 지나면 면역력이 바닥을 친 후 서서히 올라간다고 들었으므로 화학요법 한 10일 후 오클랜드 행 비행기에 올랐다. 면역력이 낮아진 상태에서 바이러스에 감염되면 큰일이므로 위험부담이 없는 것은 아니었지만 정신적 건강이 육체적 건강 못지않게 중요하다 여겨졌다. 코비드가 아직 기승을 부리고 있어서 비행기에서는 전 승객이 마스크를 착용해야 했고 그래서 다행이었다. 오클랜드에서 고등학교와 대학교를 나온 나는 오클랜드에 친구가 더 많았고 그 중 몇 명과 만나 예전처럼 수다를 떨었더니 기분이 한결 좋아졌다. 생각해보니 웰링턴의 내 친구들은 대부분이 직장동료들이었고 그렇다 보니 마음 편히 만나기는 좀 어려웠었던 것 같았다. 친구들을 만나야 하니 어쩔 수 없이 좀 예쁜 옷을 입고 귀찮아 하던 가발도 자주 쓰게 되었다. 여전히 맨 얼굴에 안경을 쓰고 외출을 했지만 친구들은 그런 건 개의치 않아 했고 나 또한 그랬다. 처음에는 내 건강 얘기로 말문을 열었지만 곧 언제나처럼 아이들 얘기, 남편 얘기 등을 하기 시작했고 그렇다 보니 내가 암 투병 중이라는 사실을 잊어버릴 때도 많았다. 내 느낌인지는 몰라도 내 암 투병 소식을 들은 친구들은 그동안 하지 않았던 자기 건강 얘기나 아이들 문제에 대해 더 많은 얘기를 해주는 것 같았다. '내가 그동안 편하기만 한 존재는 아니었나 보다' 하고 반성을 하게 되었다. 나의 취약성을 인정하면 다른 사람들에게서 비슷한 고백을 듣게 된다더니. 이렇게라도 친구들과 좀 더 속 깊은 얘기를 나눌 수 있게 된 것에 감사했다. 이렇게 일주일쯤 오클랜드에서 시간을 보내고 돌아오니 마음가짐이 훨씬 긍정적이 되었다. 그래서 3차, 4차 항암 때도 똑같이 단식 모방 식단을 따랐고 화학요법 후 면역력이 좀 돌아왔을 때 쯤 오클랜드행 비행기에 몸을 실었다. (혹시나 이 글을 읽고 단식 모방 식단을 고려하는 분들이 있다면 꼭 담당의와 먼저 상의하시기 바란다.)

내가 하는 화학요법은 3주 주기로 4번 받는 12주짜리 치료였다. 두 번째 화학요법을 무사히 마치자 치료 후를 생각하기 시작했다. 치료가 끝나면 발리와 자카르타에 가서 친구들을 다시 보고 싶었다. 너무 급하게, 안 좋은 상황에서 떠나서인지 자카르타가 너무 그리웠다. 남편한테 말했더니 좋은 생각이라며 격려해 주었다. 화학요법 후 한달쯤 후에는 호르몬 약을 먹기 시작해야 했다. 앞으로 5-10년 동안 여성 호르몬을 억제하는 약을 먹어야 한다고 했다. 그 약의 부작용도 심각할 수 있어서 담당의는 호르몬 약을 먹기 시작한 지 최소한 한달 후에 여행을 떠나라고 했다. 그러나 담당의 또한 발리와 자카르타에 가겠다는 나의 계획을 지지해 주었다. "바닷가에서 와인 한 잔 하면서 여유롭게 누워있는 것은 당신의 회복에 큰 도움이 될 것입니다!" 용기를 얻은 나는 비행기표를 예약했다. 자카르타에 있는 친구들에게 연락을 하고 호텔을 예약했다. 예약을 하면서도 미친 짓이라는 생각이 들었다. 만약 내가 코비드에 걸리거나 우리 가족 중 누가 코비드에 걸리면 화학요법은 늦춰져야 했고 그러면 여행 또한 연기될 터였다. 내가 3차, 4차 화학요법이나 호르몬 약에 심한 부작용을 겪어도 마찬가지로 여행이 연기될 터였다. 집에서만 지내던 내가 비행기를 오래 탄다는 것, 그것도 호주 경유까지 해가며 발리로 간다는 것 역시 위험한 생각인 듯했다. 설사 아무 일 없이 무사히 발리에 도착한다고 해도 만나기로 한 친구들이 코비드에 걸리면 여행 계획은 변경될 터였다. 마찬가지로 자카르타에서 만나기로 한 친구들도 코비드에 걸리지 않으리란 보장이 없었다. 뉴질랜드에서도, 인도네시아에서도 한참 코비드가 다시 기승을 부릴 때였다. 그러나 나는 계획대로 진행하기로 했다. 만약 여행이 연기가 되고 계획 변경이 불가피해 지더라도 여행 준비를 하는 것 자체가 행복이었다. 가고 싶었던 식당들을 예약하고 만나고 싶었던 친구들하고 연락하며 힘든 시간들을 견뎌냈다. 인도네시아 여행은 치료를 받으며 고생한 나에게 주는 선물이라고 여기기로 했다.

다행히 화학요법을 늦출 만큼 심한 부작용은 없었지만 횟수를 거듭할수록 부작용은 심해졌다. 그중 가장 심한 것은 얼굴이 빨갛게 달아오르는 것이었는데 그것 때문에 항생제를 한달 이상 복용해야 했다. 원래 약 먹는 걸 싫어하는 성격이라 항생제를 그렇게 오래 복용해야 하는 것에 거부감이 들었지만 의사가 하라는 대로 따르는 수밖에 없었다. 최근에 항암치료를 마친 친구도 화학요법 때 넣는 독극물보다 더 끔찍한 약은 없을 테니 부작용을 다스리는 약들은 그냥 아무 생각없이 영양제라 여기고 먹으라며 웃었다. 수분저류현상 때문에 다리가 퉁퉁 부어 오르기 시작했다. 관절들이 아프고 뻣뻣해져서 매일 아침 하던 요가자세들도 하기가 힘들어졌다. 온 몸에 알레르기가 나 항히스타민을 몇 주 복용해야 했다. 손톱은 변색하기 시작했고 서서히 들려지는 듯 손톱 위 하얀 부분이 손톱의 반을 차지할 정도였다. 손톱이 너무 아파서 단추를 채우기도 힘들었다. 발톱도 아팠고 발가락 피부가 벗겨지기 시작했다. 코를 풀면 피가 났다. 입에서 나는 금속 맛은 점점 더 심해졌고 더 오랫동안 지속되었다. 눈썹과 속눈썹도 빠지기 시작했는데 특히 밑에 속눈썹은 한 올도 남기지 않고 다 빠졌다. 그래서인지 눈에서는 쉬 눈물이 났다. 머리만 빠졌을 때는 가발을 쓰면 그럭저럭 보통사람처럼 보였는데 눈썹과 속눈썹마저 빠져버리니 이젠 빼도 박도 못한 완연한 환자 몰골이었다. 다행히 가장 흔한 부작용이라는 메스꺼움은 없었지만 총체적 난국이었다.

3차 화학요법 후 더더욱 심해지는 부작용이 너무 힘들어서 담당의한테 이메일을 보냈다. 화학요법을 하는 이유가 재발 방지이고 만약 재발이 된다면 화학요법을 또 받아야 할 텐데 이렇게 몸을 혹사하는 것 보다는 화학요법을 그만두고 몸이 덜 망

가지도록 하는 게 낫지 않겠느냐고. 담당의는 상황을 좀 더 지켜보자고 말했다. 나는 다른 사람들의 투병기를 읽으며 힘을 얻으려 애썼다. "그래, 네가 이기나 내가 이기나 해보자!" 너무 힘들다 보니 오기가 생겼다. 좀 무리인 듯 싶었지만 오클랜드행을 강행했다. 힘들어도 꾸준히 매일 요가와 산책 등 운동을 했다. 옛날에 잡지에서 읽었던, 곱지 않은 외모 덕에 악플에 시달리던 가수가 한 말이 생각났다. "It is our imperfection that makes us unique." 나의 민머리도, 눈썹과 속눈썹이 빠진 외계인 같은 모습도, 부작용으로 빨개진 얼굴도, 엉망이 된 손발톱도, 다 지금의 나를 특별하게 만드는 것이라고 생각하기로 했다. 이렇게 길게만 느껴지던 3주가 지나고 내가 마지막 화학요법을 받기 위해 병원에 갔을 때 담당의는 반갑게 맞이하며 이제 재발 방지를 위해 내가 할 수 있는 모든 것을 다 했으니 마음을 편히 가지라고 했다. 일찍 종양을 발견하고 빨리 병원을 찾고 의사가 하라는 치료법을 다 따른 나보고 A+ 환자라고 칭찬해 주었다. 칭찬은 고래도 춤추게 한다더니. 의사 선생님의 격려를 받으며 마지막까지 잘 버텨보자고 다짐을 했다.

15

엄마가 된다는 것은

나는 그야말로 '준비된' 엄마였다. 30대 초, 나는 박사학위를 받은 변호사 출신 외교관이었다. 남편은 스페인 대사로, 나는 스페인 부대사로 마드리드에서 근무하고 있었다. 공부도 일도 할 만큼 했고, 직장에서 인정도 받고 있었다. 서울과 마드리드에서 근무하며 여행도 지겹게 했다. 내가 번 돈으로 사고 싶은 것, 먹고 싶은 것, 하고 싶은 것 거의 다 해결 할 수 있었다. 부모님은 모두 건강하셨고, 언니와는 친구처럼 사이가 좋았다. 이 세상에 무서울 것 하나 없었고, 세상일은 모두 내 뜻대로 되는 듯했다. 그러니 이제 애나 한번 낳아보자 생각했다. 여자로 태어난 것에 불평불만이 거의 없이 살아왔는데, 불만은커녕 여자로 태어난 것에 참 감사하며 살아왔는데, 나이 서른이 넘어가자 아이에 대한 고민을 안 할 수가 없게 되었다. 엄마가 되는 것이 삶의 목표인 사람들이나, 아니면 아예 아이 같은 건 필요 없다고 마음먹은 사람들이 아니고서는 다들 한번씩 해봤을 고민이었다. 단지 나는 아이를 갖고 싶은 이유가 다른 사람들과는 좀 달랐는데, 그 첫 번째 이유는 여태껏 생리를 한 것이 억울해서였다. 만약 평생 아이를 안 날 거라면 지난 20여년간 왜 매달 꼬박꼬박 생리통에 시달리며 생리를 해야만 했는지….

두 번째 이유는 아이러니하게도, 아이를 낳으면 유방암이나 자궁암에 걸릴 확률이 적다는 글을 여러 번 읽어서였다. 이렇게 지극히 자기중심적인 이유로 아이를 낳고 싶어하던 내가 유방암에 걸린 걸 보면 세상은 참 요지경이다. 또 하나의 이유는 내가 '훌륭한 사람'이 되지 못할 경우에 최소한 내 아이에게 희망을 걸 수 있지 않나 해서였다. 즉, '훌륭한 사람의 엄마'는 '훌륭한 사람'이 되지 못할 경우를 대비한 보험이라 생각되었다. 아이를 낳기로 결정을 내린 후, 감사하게도 너무나 쉽게 임신이 되었다.

전형적인 '범생이'였던 나는 임신 초기부터 좋다는 육아 책을 이것저것 사서 밑줄 긋고 외워가며 공부했기 때문에 아기가 태어나면 끄떡없이 잘 해낼 자신이 있었다. 그때 막 아이폰이 시판되기 시작해서 매일 밤낮으로 육아에 대해 찾아 읽고 요점 정리도 기가 막히게 해 두었다. 시대에 따라 또 나라에 따라 권장하는 육아법이 조금씩 달랐으므로 나는 그 많은 육아법들 중 공통적으로 나오는 육아법들만 따로 정리를 해 나만의 육아 책까지 만들어 두었다. 나는 공부도, 일도 잘 하는 똑똑한 신여성이고 밤샘 작업도 거뜬히 해내는 철의 체력을 가진 사람이었다. 이런 내가 애 하나 못 키우겠어? 남들도 다 하는 건데. 나는 최고의 엄마가 될 터였다. 이런 오만한 나를 아이는 한방에 쓰러트렸고, 나는 아이가 태어난 순간부터 거의 모든 것에 실패한 엄마가 되어있었다.

'예쁘다!' 24시간의 진통 끝에 막 태어난 아들을 보고 처음 든 생각이었다. 아이를 이미 둘 낳아 키운 경험이 있는 남편은 막 태어난 갓난아이는 쭈글쭈글 못생겼으니 너무 놀라지 말라고 미리 경고를 해 주었다. 그런데 까만 머리에 이목구비가 뚜렷한 우리 아들은 첫눈에도 인형처럼 예뻤다. 의사는 갓 태어난 아이를 내 가슴 위에 놓아주고 젖을 먹이라고 했다. 엄마가 아이에게 젖을 먹이는 건 너무나 당연한 일이므로 나는 책에서 읽은 대로 젖꼭지를 아이 입으로 가져다 대면 아이가 응당 젖을 빨 줄 알았다. 그러나 아이는 젖꼭지를 물지 못하고 응애응애 울어 젖혔다. 밖에서는 아이 울음소리를 들은 부모님과 언니가 들어오고 싶어 안달이었다. 나는 아이에게 젖을 물리고 평화로운 모습으로 가족들을 맞이하려고 남편에게 아이가 젖을 물 때까지 가족들이 들어오지 못하게 해달라고 했다. 시간이 얼마나 흘렀을까. 나는 땀 범벅이 되었고 아이는 젖을 몇 번 물었지만 많이 빨지 못하고 계속 울고 있었다. 결국, 가족들은 아이와 함께 울고있는 내 모습을 보며 병실로 들어왔다.

아이의 출생증명서 작성을 마친 오클랜드 병원에서는 병실을 비워달라고 했다. 아니, 나는 지금 침대에서 몸을 일으킬 힘도 없는데. 때마침 크리스마스 전 주였고, 크리스마스 휴가 전 아이를 낳으려는 제왕절개 예약 산모들이 몰려있어 병실을 빨리 비워줘야 한다고 했다. 울면서 병원을 나와 미리 예약해 두었던 산후 조리원 같은 시설에 들어갔다. 아이 둘을 먼저 난 백인 친구가 추천해 준 곳이었다. 나중에 안 것이지만 이곳은 한국의 산후 조리원과는 많이 달라서 산모가 아이를 하루 종일 돌봐야 했다. 나오는 것이라곤 삼시세끼 음식뿐이었는데 어차피 나는 엄마가 조달해 준 미역국을 먹었으므로 식사도 별 도움이 안 됐다. 아마 아이들이 이미 있는 베테랑 산모들은 이곳에서 첫째나 둘째의 방해를 받지 않고 남이 해 주는 밥을 먹으며 갓난아이에만 집중할 수 있는 것에 만족하는 것 같았다. 한국식 산후 조리원을 기대했던 나에게는 지극히 실망스러운 시설이었다. 아이가 울자 간호사들이 들어와 나에게 아이를 안고 젖을 먹이라고 했는데 나는 아이를 어떻게 안아야 하는지 몰라 멀뚱멀뚱 서 있었다. 바보가 된 기분이었다. 간호사는 한숨을 푹 쉬더니 나에게 아기 안는 법을 가르쳐 주었다. 아이가 버둥거려 떨어뜨리는 건 아닌지 걱정이 되어 온 몸이 경직되었고, 아이는 나의 긴장을 느꼈는지 더 큰소리로 울어댔다. 그래서인지 모유가 안 나와서인지 아이는 젖을 물지 않았고 끊이지 않는 애 울음소리에 나까지 울음을 터트리자 간호사는 옆방에 가서 분유를 타 와서 아이에게 물렸다. 그제서야 아이는 조용해졌고 그렇게 나의 모유수유 체험기는 끝이 났다. 준비된 엄마는커녕 '남들 다 하는' 모유수유도 제대로 하지 못하는 실패한 엄마였다! 모유수유를 중시 여기는 뉴질랜드에서 분유로 아이를 키우는 일은 쉽지 않았고 모유수유를 하는 엄마들을 볼 때마다 마치 시험에 떨어진 낙제생 같은 기분이 들었다. 처음 석 달은 유축을 해서 초유를 먹였는데 아이가 빨지 않으니 양은 점점 줄어들어 나중에는 유축을 하는 의미가 없을 정도였다. 아이는 분유를 먹고도 무럭무럭 잘 자랐으나 나는 죄책감에서 오랫동안 헤어나오지 못했다.

집으로 돌아온 후에도 나는 거의 모든 것에 실패한 엄마였다. 남편은 내가 마드리드로 돌아오길 바랐지만 나는 오클랜드 부모님 집에서 당분간 지내기로 했다. 우선 아이는 친정엄마가 달래야만 울음을 그쳤고 그래서 아이를 재우는 건 늘 할머니였다. 내가 달래려 하면 왠지 더 우는 것 같았다. 백인 친구들이 한다는 sleep training은 시작할 엄두도 못 내고 항상 아이를 안아 재워서 손목과 허리가 끊어질 것 같았다. 잠투정에 우는 아이를 부드러운 목소리로 안정시키고 토닥토닥 해주기를 몇 번 반복하면 서서히 잠이 든다는 육아 책을 쓴 사람들은 어느 행성에서 왔나 싶었다. 공갈젖꼭지를 하면 치아가 균일하게 나지 않을 수 있다 읽었는데 어느새 집안 여기저기에는 공갈젖꼭지들이 굴러다녔고 아이는 만 3세가 다 되어서야 공갈젖꼭지를 뗄 수 있었다. 부모님도 연세가 많으셨으므로 동네에 사는 한국 도우미 아주머니를 구했다. 다행히 아이를 예뻐해 주시는 분을 만났는데 아이 목욕은 이 아주머니가 아니면 시킬 수가 없었다. 미끌미끌 버둥대는 아이를 놓칠까봐 나는 아이 목욕 때 거들지도 못하고 옆에서 구경만 하고 사진만 찍었다. 아침에 이 아주머니가 오실 때까지 밤새 아이와 씨름한 엄마와 나는 세수도 못 하고 잠옷도 못 갈아입고 퀭한 모습으로 좀비처럼 있었다. 아주머니가 오시지 않는 주말이 무서울 정도였다. 지극히 무난하고 건강한 아이를 키우면서도, 또 주변에서 이렇게 많은 도움을 받으면서도, 나는 그 어느 것 하나 제대로 못 하는 엉터리 엄마였다.

아이가 2살이 되기 전에는 태블릿을 보여주지 말라는 글을 자주 접했다. 어른인 나도 태블릿을 오래 보면 눈이 아프고 또 그래도 계속 보고 싶은 중독성을 느끼는데 아이들은 당연히 더 그럴 테지. 이론은 빠삭했지만 실전은 달랐다. 태블릿 없이 아이를 키운다는 건 불가능해 보였다. 태블릿이 생기기 전 부모들은 어떻게 아이들을 키웠을까 궁금할 정도였다. 나는 아이가 의자에 앉을 수 있을 때부터 식사 시간만 되면 태블릿을 틀었다. 그거에 집중하고 있을 때는 밥을 잘 받아 먹었기 때문이었다. 아이가 징징대면 빛과 같은 속도로 태블릿을 틀었다. 나중에 아이가 돌이 막 지났을 때 부모님 없이 싱가포르 언니네서 6주간 지냈는데 그때는 아이를 재우려고 태블릿을 틀었다. 잠투정 하던 아이가 소녀시대의 'Gee' 뮤직비디오를 틀어주면

잠잠해지고 그걸 뚫어지게 바라보다 스르르 잠들곤 했기 때문이었다. 어떤 날은 뮤직비디오를 한 10번 정도 재생해야 잠을 잤다. 아이가 잠이 들면 내가 형편없는 엄마라서 아이가 어려서부터 안경을 쓰면 어쩌지, 나중에 태블릿 중독자가 되어 폐인처럼 살면 어쩌지, 자책에 걱정을 해댔으나 아이가 일어나면 어쩔 수 없이 또 태블릿을 찾았다.

육아 책에 또 자주 나오는 말이 있다. "제발 옆집 아이랑 비교하지 마세요." 이 역시 다른 행성에서 살던 사람들이 쓴 말인 듯 싶었다. 아니, 옆집 아이들이랑 가장 자주 만나 노는데 어떻게 비교를 안 할 수가 있단 말인가? 한국어와 영어, 또 스페인어까지 3개 국어에 노출되어 있던 아이는 말을 좀 늦게 했다. 우리가 하는 말은 잘 알아듣는 것 같았지만 '옆집 아이', 특히 여자아이들에 비해 말이 느리고 어눌했다. 인터넷을 뒤져 아이들의 평균 언어발달에 대해 샅샅이 조사하고 또 끌탕을 했다. 매일매일 눈을 뜨자마자 아이한테 목이 쉴 정도로 많은 얘기를 해주고 책도 엄청나게 많이 읽어주는데 왜 이렇게 발달이 늦는 걸까? '옆집 아이'에 비해 늦는 것이 또 있었으니 그것은 배변 훈련이었다. 주변에 배변 훈련을 너무 혹독하게 시켜 변비에 걸린 아이가 있어서 우선은 아이가 스트레스를 안 받게 하는 게 중요하다 여겼고 그래서 배변 훈련을 강압적으로 시키지는 않았다. 그래도 주변에 기저귀를 뗀 아이들이 하나 둘씩 생기자 걱정이 되기 시작했다. 이러다 기저귀 한 채로 초등학교 입학하는 건 아닌가 싶고, 애가 어렸을 때 모유를 안 먹여서 이렇게 발달이 늦은 건가 싶어 또 실패한 엄마로서의 나 자신을 자책했다.

결론부터 말하자면 아이는 잘 자랐다. 나이가 좀 들자 잠투정 없이 스스로 잘 자기 시작했고 새벽에도 깨지 않고 잘 잤다. 공갈젖꼭지를 하루 종일 물고 살았지만 유치와 영구치 모두 가지런히 나왔다. 태블릿을 보며 자란 아이는 안경을 쓰지도 않았고 여전히 태블릿을 좋아하기는 하지만 중독성을 보이지는 않았다. 다른 사람과 식사를 할 때는 태블릿을 틀어주지 않아도 괜찮았고 초등학교 고학년이 되자 가족끼리의 식사 때도 태블릿을 틀지 않고 대화를 하며 밥을 먹었다. 말을 좀 늦게 시작한 대신 입이 터지기 시작하자 나한테는 한국말을, 아빠한테는 영어를 정확하게 구사했다. 아마 많은 언어를 뇌에서 소화하느라 시간이 좀 걸린듯 싶다. 그리고 물론 초등학교에 기저귀를 하고 가진 않았다. 분유를 먹고 자랐어도 평균치보다 키도 컸고 심하던 편식도 초등학교 고학년이 되면서 서서히 나아졌다.

나는 운이 좋아서 최소 3인조로 육아를 했다. 오클랜드 부모님 댁에는 친정엄마, 아빠, 그리고 도우미 아주머니가 계셨다. 마드리드 대사관저에는 남편, 친정엄마 (항상 우리랑 같이 여행하셨다), 그리고 스페인 도우미 아주머니가 계셨다. 싱가포르 언니 집에는 언니, 형부, 그리고 필리핀 도우미 아주머니가 계셨다. 나는 '독박 육아'를 해 본 기억이 거의 없다. 그럼에도 불구하고 매일매일이 너무 힘들었다. 박사학위 10개 더 따올 테니 누가 애 좀 대신 키워줬으면 좋겠다고 생각한 적도 있었다. 존경하는 사람이 쌍둥이 엄마로 바뀔 정도로 육아는 힘들었다. 나는 2년 반 동안 육아휴직을 했고 그 후 2년간은 파트타임으로 일했다. 그래서 아이가 만 네 살 반이 될 때까지 아이를 직접 키울 수 있었다. 그리고 내가 복귀할 때 은퇴한 남편 덕에 어린이집이나 유치원 보낼 걱정 하지 않고 집에서 아이를 키울 수 있었다. 이 세상 대부분의 엄마들이 나보다 힘든 상황에서 아이를 키우고 있는 것을 잘 알고 있다. 그래서 집에서 아이들만 보는 전업주부들이 무능한 여자들이라고 쉽게 단정지었던 예전의 내가 부끄러웠다. 집에서 아이들과 '맨날 놀면서' 집안일도 못하냐고 은근히 무시했던 내가. 아이는 스스로 크는 거니까 너무 용쓰지 말라고 어쭙잖은 충고를 하던 내가. 애 하나 휘어잡지 못하고 질질 끌려다니는 부모들이 한심하다고 생각하던 무지했던 내가. 이렇게 아이는 나의 가장 커다란 스승이 되어주었고, 나는 엄마가 되면서 비로소 어른이 되었다.

다행히 외교통상부는 초보 부모들이 파트타임으로 일을 할 수 있게 배려를 해줘서 나는 경력 단절을 겪지 않아도 되었다. 남편이 스페인 대사직을 마지막으로 은퇴한 후 나는 다시 복귀를 해서 2년간 월, 수, 금 이렇게 3일 일했는데 매일매일이 금요일 같아 좋았다. 야근을 하지 않기 위해 회사에 있을 때는 초인적인 집중력을 발휘하여 빛 같은 속도로 일을 해냈다. 내 직장 인생 중 그때처럼 초집중해서 일을 한 적은 전에도 후에도 없었다. 파트타임 경력직인 내가 풀타임 초보직원보다 훨씬 더 효율적으로 일을 한다고 느껴지게끔 열심히 했다. 파트타임으로 일을 해도 아이가 아프면 어쩔 수 없이 병가를 써야했다. 다행히 아이가 셋 있던 내 상관은 무엇보다 가족이 우선이라며 불평 없이 병가를 허락해줬다. 고맙기도 하고 내 일을 대신 해야 할 다른 팀원들에게 미안하기도 해서 더더욱 열심히 책임감을 가지고 일을 했다. 야근도 못하고 출장도 마음대로 갈 수 없는 상황이었어서 승진이 좀 늦어지기는 했지만 일을 계속 할 수 있다는 것에 감사했다. 아이가 5살이 되어 학교에 가자 나는 다시 풀타임으로 일할 수 있었다. 그때의 내 경험을 바탕으로 나중에 매니저가 되어 팀을 꾸릴 때 나는 우리 팀에 초보 엄마들을 파트타임으로 들이는 것을 주저하지 않았다. 그네들도 나처럼 열심히, 최선을 다해 일할 것을 알고 있었기 때문이었다. 아이가 태어나고 더 이상 내 삶의 주인공이 내가 아닌 것에 우울해 하는 많은 젊은 엄마들이 파트타임이라도 일을 계속할 수 있으면 사회적, 개인적 손실이 많이 줄어들지 않을까 생각해본다.

남편이 마드리드에, 언니가 싱가포르에 있는 관계로 아이가 만 2살이 되기 전, 12시간 장거리 비행을 아이와 함께 12번 했다. 처음 아이와 함께 비행기를 타고 나서 한 생각은 왜 그동안 혼자 하는 장거리 비행을 꺼려왔을까 하는 것이었다. 영화를 볼 수도 있고, 책을 읽을 수도 있고, 음식을 먹을 수도 있고, 와인을 마실 수도 있고, 화장실도 마음대로 갈수 있으며, 결정적으로 이것저것 다 귀찮아지면 잠도 잘 수 있는 것을! 아이와 함께 여행을 하면 이 어떤 것도 마음대로 할 수가 없었다. 그래서 생각해 낸 것이 작은 선물 준비하기였다. 아이의 나이와 취향을 고려해야 하긴 하지만 솔직히 선물이 뭔지는 중요하지 않았다. 아이는 그저 '새 것'을 좋아하니까. 반창고, 불이 달린 펜, 막대사탕, 풍선, 장난감이 들어있는 초콜릿 등. 이것들을 일일이 포장지에 싸서 가방 안에 숨겨 놓았다가 아이가 지루해져 몸을 배배 꼬기 시작할 때 쯤 하나씩 꺼내어 줬다. 그러면 아이가 포장지를 풀고 새로운 장난감을 가지고 노는 5분이라는 소중한 시간이 생긴다! 그 5분 동안에 빛과 같은 속도로 밥도 먹고 화장실도 가고 잠시 눈도 붙였다. 나는 비행기 안에서는 아이가 무한대로 게임을 하고 태블릿을 보게 했는데 아이가 어릴 때는 이마저도 집중력이 짧아서 오래가지 못했다. 간혹 비행기에서도 집에서 하던 루틴을 고집하는 부모들을 봤는데 나 같은 경우는 옆에 있는 승객들한테 미안해서 아이가 징징대지 않게 하는 것에만 집중을 했다.

많은 부모들처럼 나 역시 아이에게 책을 많이 읽어줬다. 매일 밤 자기 전에 책을 7-8권 정도 읽어줬는데 읽을 책은 아이가 고르게 했다. 아이가 흥미를 느끼도록 성대모사도 하고 손짓발짓 사용하며 정열적으로 책을 읽어줬다. 낮에는 책에 나오는 등장인물들로 구성된 인형들로 소꿉장난도 하고 역할극도 하고 놀았다. 너무 피곤할 땐 아이로 하여금 선생님이 되어 인형 친구들에게 책을 읽어달라고 부탁했고 아이는 책 내용들을 기가 막히게 기억해냈다. 매일매일 똑같은 책을 읽는 게 지겨워서 누워서 책을 읽을 때는 다리 근력 운동을 했고 엎드려서 책을 읽을 때는 플랭크 코어 운동을 했다. 책은 사주지 않고 동네 도서관을 이용했다. 아이가 유치원에 가기 전에는 일주일에 2-3번씩 도서관에 가서 책을 빌리건 안 빌리건 도서관에서 많이 놀렸다. 책도 유용한 책보다는 아이가 골라오는 책을 읽어줬다. 아이는 자기가 좋아하는 자동차, 비행기, 기차, 공룡 등이 그려진 책들을 많이 골랐고 그래서 그런 책들을 많이 읽어줬다. 아이가 배변훈련을 할 때에는 화장실에 앉은 아이 앞에서 책을 읽어줬다. 신기하게도 아이는 꼭 점심이나 저녁 음식이 식탁에 딱 차려지면 화장실에 가고 싶다고 했는데 짜증이 났지만 그래도 군말 않고 쫓아 가서 책을 읽어줬다. 아이는 엄마와 있는 시간을 좋아했으므로 자연스럽게 화장실에 가는 것도 좋아하게 되었고 나는 잘 먹고 잘 자고 화장실에 잘 가는 것이 이 세상에서 가장 중요한 거라며 변기에 앉아있는 아이를 칭찬했다. 이런 노력 덕분인지 아이는 글을 빨리 깨치고 어휘력도 좋았지만 초등학교에 들어가고 나서는 곧 게임과 유튜브에 빠져들었다. 그래도 어렸을 때 책 읽던 버릇이 남아있어 초등학교 고학년부터는 스스로 책을 집었다.

소위 '나이롱' 엄마였지만 아이랑은 열심히 놀아줬다. 아이를 키워본 사람들은 다 알겠지만 아이들은 같은 놀이를 무한반복하는 경향이 있어서 아이랑 잘 놀기 위해서는 아주 많은 인내심과 체력이 필요했다. 그러나 피할 수 없으니 즐기는 수밖에. 나는 내가 하고 싶은 놀이들을 아이에게 가르쳐주어 같이 했다. 다행히 마당과 집이 넓어 집에서 달리기, 축구, 럭비, 하키, 볼링, 사격, 양궁, 배드민턴, 탁구, 멀리뛰기, 줄넘기, 골프, 트램펄린 등을 같이 하고 놀았다. 임신과 출산 이후 찐 살을 빼기에 안성맞춤이라고 스스로에게 되뇌며 몸으로 열심히 놀아줬다. 비가 오는 날엔 집에서 카드놀이를 했는데 블랙잭, 포커 등을 가르치고 가짜 돈으로 베팅 하는 법도 가르쳐 줬다. 남들이 보기엔 눈살이 찌푸려 질 수도 있겠지만 베팅에 져서 울고 있는 아이한테 나는 말했다. 가짜 돈 잃고도 이렇게 속상한데 진짜 돈 잃으면 얼마나 속상하겠냐고. 그러니까 절대로 도박은 하는 게 아니라고. 블랙잭이랑 모노폴리, 수도쿠 같은 게임을 하면서 아이는 숫자를 빨리 익혔다. 나중에는 고스톱도 같이 했는데 어느 날 보니 학교에서 돌아온 아들이 백인 친구한테 고스톱을 가르쳐 주어 함께 하고 있었다. 백인 아이가 "고돌이!", "쪽!" 등을 외치며 고스톱을 하는 게 코믹스러웠다. 보드게임도 많이 같이 하고 체스도 어려서부터 가르쳤다. 처음에는 질 때마다 분해서 울던 아이도 나이가 좀 들자 의젓하게 패배를 받아들였다. 남자아이였지만 부엌 세트도 사줘서 인형들이랑 소꿉놀이도 많이 했다. 날씨가 좋으면 놀이터로 바닷가로 열심히 데리고 다녔다. 이런 노력이 헛되지는 않았는지 나중에 아이가 학교에 가서 "우리 아빠는 나에게 맛있는 밥을 해줘서 좋고, 우리 엄마는 나랑 잘 놀아줘서 좋아요"라고 썼을 때는 감개무량했다. 이제 엄마랑 놀기보다 친구들이랑 놀기를 더 좋아하는 아이를 보면서 엄마가 세상의 전부였던 그 짧은 몇 년 동안 온 힘을 다해 열심히 놀아줘서 다행이라며 스스로를 다독이곤 한다.

욕심이 많고 모든 일에 열성적인 나를 보고 '극성 엄마'일 것이라 생각하는 사람들이 다반사다. 그런데 아이에 있어서는 나는 정말 게으른 엄마인 듯하다. 그저 밥 잘 먹고 잠 잘 자고 선생님 말씀 잘 듣고 친구들하고 싸우지 말고 아프지 마라, 주문처럼 외웠다. 가끔씩 주변에서 피아노, 바이올린, 코딩, 골프, 승마, 수영, 발레, 서핑, 펜싱 등등을 배우는 '옆집 아이'들을 볼 때면 우리 아이만 바보가 되는 것은 아닐까 걱정이 되어 남편한테 넌지시 피아노라도 가르쳐야 하는 건 아닌지 물어봤다. 그러면 남편은 그 애가 베토벤이 될 기질이었으면 누가 가르치지 않아도 집에 있는 피아노를 벌써 뚱땅댔을 거라고, 평생 공부하고 일할 건데 지금 열심히 놀려야 한다고 했다. 맞는 말이었지만 '옆집 아이'들을 볼 때마다 불안해졌다. 뉴질랜드에서도 이런데 한국에서는 어떨까…. 내가 흔들릴 때 옆에서 중심을 잡아주는 남편이 고마웠다. 매일매일 할 일이 노는 것밖에 없는 우리 아들은 흥얼흥얼 콧노래를 부르는 행복한 아이로 자랐다. 마음 같아선 나도 아이가 더 많은 걸 배워서 더 풍족한 삶을 살 수 있었으면 한다. 그러나 아이를 조금 덜 통제하고 조금 더 신뢰하기로 했다. 아이를 통해 내 꿈을 이루는 것보다 아이가 스스로 만들어 나갈 삶을 응원해 주기로 했다. 훌륭한 사람의 엄마가 되는 것보다 행복한 사람의 엄마가 되는 것을 새로운 목표로 삼으며 말이다.

사랑하는 아들 제이미 / 2017년

어느새 훌쩍 자란 아이와 함께 / 2023년

16

치료의 끝

마지막 화학요법이 끝났다. 뭔가 상장이라도 받아야 할 듯 싶었는데 아무것도 없었다. 어떤 병원에서는 마지막 화학요법을 마친 환자들이 울리는 벨이 있다고 하던데 우리 병원에는 그런 것도 없었다. 조금은 홀가분한 마음으로, 그러나 어떤 부작용이 나를 기다리고 있을지 모른다는 불안감을 안은 채 병원을 떠났다. 지난 5개월간 내 인생을 지배했던 암과의 싸움. 그 시간들이 끝나가고 있다는 데에 기쁨보다는 막막함이 앞섰다. 나는 이제 어떻게 살아야 하는 것인가. 담당의는 암에 걸렸다는 사실을 잊어버리고 예전처럼 살아가려 노력하라고 했지만 그게 과연 가능할까 싶었다. 지난 5개월 동안 환자로서 지낸 생활에 너무 익숙해져 버린 것 같았다. 한편으로는 무사히 치료를 마친 것에 감사했고, 또 한편으로는 내 인생이 아직 엉망진창인 것 같아 불안했다. 조급하게 생각하지 말자고 스스로를 다독였다. 여전히 화학요법 부작용에 시달리고 있었지만 이제 조금만 더 버티면 내 인생의 겨울이 끝나고 봄이 오리라는 희망으로 하루하루를 보냈다.

다행히 자카르타에서 보낸 짐들이 마지막 화학요법을 받은 지

이틀 후에 도착했다. 이미 웰링턴 집은 우리가 살기에 전혀 불편함이 없었는데 50박스의 세간살이가 더 도착한 것이었다. 필요한 것만 추렸다고 생각했는데, 막상 와서 보니 필요 없는 것들이 너무 많았다. 그래서 한국인 목사님 사모님께 필요 없는 물건들을 전부 교회에 기부하거나 온라인으로 팔아달라고 부탁드렸다. 짐 정리를 하며 바쁘게 며칠을 보내자 부작용도 많이 사라진 듯했다. 나는 역시 바쁘게 지내야 힘이 나는 사람이구나. 정신과 의사는 이런 나를 보고 active relaxer라고 했다. 다시 내가 지금 할 수 있는 일에 집중하기로 했다. 회사에 연락을 해서 이제부터 서서히 일하는 시간을 늘려 한달 후부터는 풀타임으로 일하고 싶다고 얘기했다. 항암치료로 미뤄두었던 Royal School of Music Grade 5 성악 시험 날짜를 잡고 연습 강도를 늘렸다. 골프채를 새로 장만하고 제이미와 함께 골프 레슨을 받기 시작했다. 여전히 매일 명상과 요가, 피아노 연습을 하고 하루 한 시간 이상 산책을 했다. 책도 짬 날 때마다 듣고 글 쓰는 일도 계속했다. 다행히 날씨가 점점 좋아지고 있어 주변 공원이나 바닷가에서 산책을 할 수 있는 날들이 많아졌다. 그동안 치료 때문에 가지 못했던 치과 예약도 하고 미장원에도 가서 얼마 남지 않은 머리를 깨끗하게 다듬었다. 바쁘게 지내던 어느 날, 전화벨이 울렸다. 시어머니가 위독하시다는 전화였다.

차로 8시간, 비행기로 1시간 정도 거리에 사시던 시어머니를 보러 남편이 먼저 떠났다. 이미 91세에 기력이 많이 쇠약해지신 상태였기 때문에 제이미와 나도 짐을 싸고 집안 정리를 했다. 다행히 남편은 시어머니의 임종을 지킬 수 있었고 제이미와 나도 다음 날 비행기에 몸을 실었다. 이미 쇠약해진 시어머니한테는 내가 뉴질랜드에 돌아왔다는 것도, 암 투병 중이라는 것도 말씀드리지 않았다. 코비드로 여행이 힘들었기 때문에 내가 마지막으로 시어머니를 뵌 건 3년 전의 일이었다. 그나마 다행이었던 건 남편과 제이미가 코비드로 뉴질랜드에 미리 돌아와 있었기 때문에 지난 2년간 시어머니를 자주 뵐 수 있었다는 거였다. 죽음에 대해 많이, 구체적으로 생각한 후 참석한 장례식은 전에 참석했던 장례식들과는 다른 무게로 다가왔다. 슬픔과 두려움, 아쉬움과 그리움이 범벅된 눈물이 흘렀다. 우리는 왜 사는가, 어떻게 살아야 하는가, 죽은 후 우리는 어떻게 기억되고 싶은가, 우리가 살면서 이 세상에 남긴 것은 무엇인가…. 많은 생각이 뇌리를 스쳤고, 그 어떤 질문에도 확실한 답을 찾지 못한 채 장례식을 마쳤다. 암에 걸린 후 처음으로 보는 시댁 식구들은 조심스럽게 내 건강상태에 대해 물었으나 나를 환자 취급하지 않아서 좋았다. 시어머니를 근처에서 모셨던 남편의 동생 집에는 사람들이 북적였고 제이미는 또래의 아이들과 뛰어노느라 바빴다. 사람들이 많으니 음식 준비할 것, 치울 것도 많았고 챙겨야 할 사람들도 많았다. 장례식

전후 날씨가 너무 좋아 제이미와 아이들은 근처 바닷가에서 수영을 하기도 했다. Life must go on. 해맑게 뛰노는 아이들을 보며 산 사람은 살아야 한다는 말이 생각났다. 모두 시어머니를 그리워했지만, 시어머니가 당신 때문에 모인 우리 모두가 즐거운 하루를 보내길 원하실 거라는 것 또한 알고 있었다. 시어머니를 위해 샴페인으로 축배를 들었다. 나 또한 내가 세상을 떠났을 때 나를 위해 모인 사람들이 축배를 들 수 있는 그런 삶을 살았으면 좋겠다고 생각했다. 내가 지금 할 수 있는 일은 매일매일을 생의 마지막 날처럼 소중히 보내야 하는 것이리라. '내가 헛되이 보낸 오늘은 어제 죽은 이가 그토록 갈망하던 내일'이므로.

웰링턴으로 돌아와서 호르몬 약을 먹기 시작했다. 호르몬 약을 먹으면 갱년기 증상이 나타날 것이라고 했고 어떤 사람들은 부작용이 너무 심해 치료를 중단하거나 다른 약을 먹어야 한다고 했다. 어차피 몇 년 있으면 겪어야 할 갱년기였지만 억지로 그 시기가 앞당겨지니 서러웠다. 한 쪽 가슴도 없고 머리카락도 없고 여성호르몬도 없는 나는 과연 여자일까? 하는 자괴감도 들었다. 아니나 다를까, 호르몬 약을 먹기 시작한 지 열흘쯤 되자 열성 홍조와 야간 발한이 시작되었다. 가만히 앉아서 일을 하다가, 밥을 먹다가, 또는 친구들과 수다를 떨다가, 갑자기 얼굴이 달아오르며 땀이 비오듯 쏟아졌다. 밤에는 옷이 축축하게 젖을 정도로 땀범벅이 되어 깨어나기 일쑤였다. 새벽에 잠이 깨면 다시 잠을 자기가 힘들었고 그래서 항상 피곤했다. 피곤하니 쉽게 짜증이 났다. 보통 갱년기 증상이 심하면 여성호르몬 약을 복용한다던데 나는 그럴 수도 없는 상황이었다.

나는 또 다시 감사할 일과 내가 지금 할 수 있는 일을 찾았다. 호르몬 약 부작용이 아무리 심하다 한들 화학요법 부작용에 비할 것은 아니었다. 그래서 감사했다. 운동을 주기적으로 하고 술을 멀리하고 건강식으로 먹으면 갱년기 증상이 서서히 없어질 것이라고 했다. 이미 요가와 걷기 운동을 매일 하고 있었고, 술은 암 진단 후 마시지 않았고 야채 위주의 건강한 식단을 유지하고 있었으므로 크게 라이프스타일을 바꾸지 않고도 곧 갱년기 증상이 줄어들 것이라 믿는 수밖에 없었다. 그동안 땀이 나면 닦으면 되지. 밤에 자다 깨면 책을 읽으면 되지. 잠이 부족해 피곤하면 짧게라도 낮잠을 자면 되지. 그리고 이 또한 다 지나가리라. 삶이란 상실에 적응하는 일이라고, 나이듦은 내 몸의 불완전과 화해하는 일이라는 말이 생각났다. 별일 아니라 생각하기 시작하니 이 모든 증상들이 별일 아닌 게 되었고, 이런 부작용들과 함께 공존하는 법을 배울 수 있게 되어 감사했다.

다시 나가기 시작한 사무실에서도 감사할 일들은 많았다. 긴 생머리였던 내가 빡빡머리로 나타나자 많은 동료들이 자진해서 자기 역시 암 투병 경험이 있다고 말해주었다. 20년 전에 유방암 진단을 받은 사람, 3년 전에 피부암 진단을 받은 사람, 4달 전에 전립선암 진단을 받은 사람… 생각보다 주변에 암 생존자가 많았다. 그리고 또 많은 동료들이 자기는 하시모토 병, 당뇨병, 과민성 대장 증후군 등 다른 만성질환과 싸우고 있다고 말해주었다. 이제 우리 나이가 되면 몸 여기저기가 쑤시고 아프고 고장날 때라고, 앞으로 몸을 더 소중히 여기라는 신호로 받아들이라고 위로해 주었다. 그런 동료들에게 감사했다. 또 여태껏 큰 병치레 한번 하지 않고 살아온 건강한 내 몸에 감사했다.

호르몬 약을 복용한 지 한 달쯤 후, 주치의를 다시 만났다. "이제 모든 치료는 끝났습니다, 6개월 후에 뵙겠습니다." 나의 투병 생활이 끝이 났다. 감사하지 않을 수가 없었다. 무사히 치료를 마친 것을 기념하고 싶어 인도네시아에 사는 8살 여자아이 한 명을 후원하기 시작했다. 언니 생일날 멍울을 발견했으므로, 또 일찍 암을 발견해 치료가 가능했으므로, 언니와 생일이 같은 여자아이를 후원하기로 했다. 암 투병을 하던 지난 몇 달을 돌아보니 감사해야 할 사람들은 수없이 많은데 나에게 감사해야 할 사람은 하나도 없는 것 같았다. 한 명에서부터 시작하

자. 인도네시아의 이 아이부터. 그리고 앞으로 내가 어떻게 더 많은 사람들에게 도움을 주며 살 수 있을지 생각해보자.

17

다시 발리로

발리행 비행기에 올랐다. 암 진단을 받은 지 꼭 6개월 만의 일이었다. 종양을 처음으로 발견한 발리에 항암치료 후 다시 가는 것은 나에게 큰 의미가 있었다. 삶은 계속될 수 있다는 신호처럼 여겨졌다. 고통이 지나면 반드시 기쁨이 스며든다는 괴테의 말처럼, 그동안 힘든 항암치료를 버텨준 나 자신에게 주는 선물이기도 했다. 따뜻한 기후, 바닷가의 파도소리, 탁 트인 풍경의 5성급 호텔, 나를 만나러 와 주는 좋은 친구들, 그들과 같이 갈 멋진 식당들, 분위기 좋고 가성비는 더 좋은 마사지샵들…. 내가 그리워했던 것들이 모두 있는 발리로 향했다. 아니, 내가 그리워했던 것은 이 모든 것들이 내포하는 암 진단 이전의 내 삶이었던 것이리라. 그리움으로 버텼던 시간들을 뒤로 하고 나는 발리로 향하고 있었다.

"삶을 사는 데는 단 두 가지 방법이 있다. 하나는 기적이 전혀 없다고 여기는 것이고 또 다른 하나는 모든 것이 기적이라고 여기는 방법이다."라고 아인슈타인이 말했다. 인생이라는 이 학교에서 암 투병이라는 고통을 통해 훌륭한 스승을 만나게 된 나에게는 하루하루가 기적처럼 느껴졌다. 매일 되풀이되는 일상에 당연하다고 또 가끔은 지루하다고 느꼈던 많은 것들이 새롭고 위대하게 느껴졌다. 오늘의 아침 햇살이, 창문을 열었을 때 불어오는 아침 바람이, 교통체증과 싸우는 회사로의 출근길이, 동료들과의 수다가, 저녁을 준비하는 남편의 모습이, 저녁 식사 후 온 가족이 함께하는 공원 산책이, 하루 일과를 마치고 하는 따뜻한 샤워가, 잠들기 전 아이와 도란도란 나누는 대화가. 이 모든 것들이 내 생에 마지막으로 하는 일일 수도 있다 생각하니 모든 것이 소중하고 경이로웠다.

새로운 시작, 두 번째 얻은 기회. 지난 6개월은 나의 모든 것을 바꾸어 놓았고 또 한편으로는 아무것도 바뀌지 않았다. 나는 여전히 내 삶이 눈부시게 아름답고 소중하며 나를 사랑하는 사람들은 여전히 내 곁에서 나를 응원하고 있다. 나는 여전히 하고 싶은 것도, 이루고 싶은 것도 많고 그것들을 위해 누구보다도 열심히 노력할 것이다. 나는 더 이상 나의 젊음과 건강을 자만할 수 없다. 재발의 공포는 가끔 내 몸을 마비시킬 정도로 거대했고 예고 없이 찾아 들었다. 하지만 그렇기에 나는 이제 인생에서 정말 중요한 것이 무엇인지, 내가 소중한 내 시간을 함께 보내고 싶은 사람들이 누구인지 좀 더 확실히 알게 되었다. 하찮은 일에 낭비한 많은 시간들이 아까웠다. 사소한 일로 얼굴 붉힌 사이가 된 사람들이 아쉬웠다. 나를 귀히 여기지 않는 사람들의 의견에 휘둘린 내가 안쓰러웠다. 앞으로는 순간순간을 후회 없이 잘 살아야 한다. Getting old is a privilege denied to many. 늘 앞만 보고 달리던 나에게 중요한 가르침을 준 투병 생활이었다.

마침표가 아닌 쉼표가 되어준 암 진단. 호흡을 고르고, 주변을 살피고, 내 삶을 돌아보고, 천천히 한 발짝 내딛을 수 있는 시간이었기를. 내 주변 사람들에게, 그리고 또 내 자신에게, 너그러워지는 법을 배울 수 있는 시간이었기를. 나의 한계를 받아들이고, 필요할 때마다 적응하는 나의 몸과 마음에 감사하는 시간이었기를. 과거에 연연하지 말고, 미래를 두려워하지 않고, 온 힘을 다해 현재를 살아낼 수 있게 도와주는 시간이었기를. 비행기 창 너머로 보이는 '신들의 섬' 발리를 바라보며 긴 터널을 지나 쉼표를 찍고 이제 다시 앞으로 나아가고 있는 나의 소중한 삶에 감사했다.

마침표 아닌, 쉼표

한 외교관의 우아한 투병기

발행일 | 2024년 3월 15일
지은이 | 박시정
펴낸이 | 마형민
기　획 | 신건희
디자인 | 김안석
편　집 | 김현주 임수안
펴낸곳 | 주식회사 페스트북
주　소 | 경기도 안양시 안양판교로 20 홈페이지 | FestBook.co.kr

ISBN 979-11-6929-464-5 03810

값 18,000원